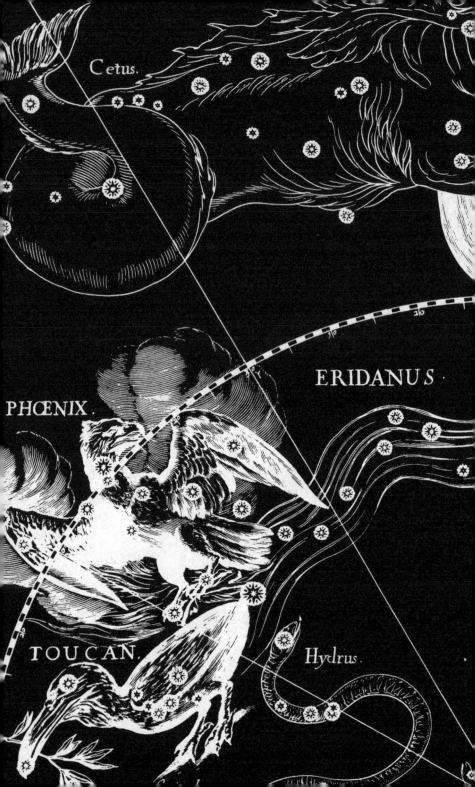

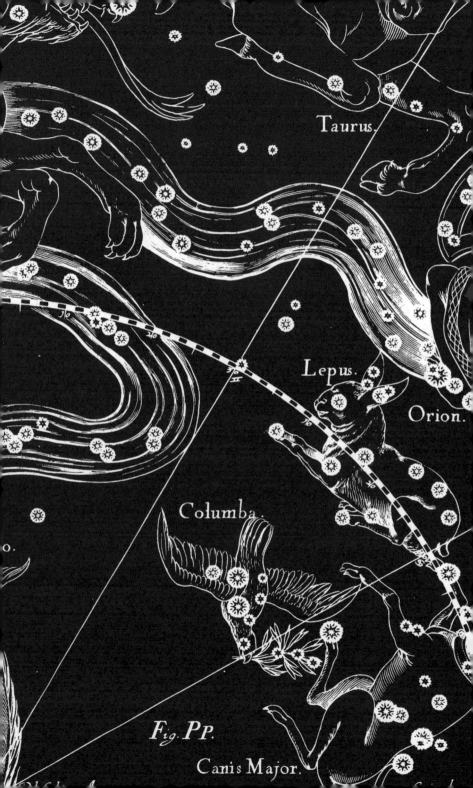

NAVIGATING EARLY
Copyright © 2013 Clare Vanderpool
All rights reserved.
Todos os direitos reservados.

Publicado mediante acordo com Random House
Children's Book, uma divisão da Random House LLC

Tradução para a língua portuguesa
© Débora Isidoro, 2016

Diretor Editorial
Christiano Menezes

Diretor Comercial
Chico de Assis

Diretor de Novos Negócios
Marcel Souto Maior

Diretora de Estratégia Editorial
Raquel Moritz

Gerente Comercial
Fernando Madeira

Gerente de Marca
Arthur Moraes

Editor
Bruno Dorigatti

Capa e Projeto Gráfico
Retina 78

Coordenador de Diagramação
Sergio Chaves

Revisão
Ulisses Teixeira
Retina Conteúdo

Finalização
Roberto Geronimo

Marketing Estratégico
Ag. Mandíbula

Impressão e Acabamento
Ipsis Gráfica

DADOS INTERNACIONAIS DE CATALOGAÇÃO NA PUBLICAÇÃO (CIP)
Angélica Ilacqua CRB-8/7057

Vanderpool, Clare
  Em algum lugar nas estrelas / Clare Vanderpool ; tradução de
Débora Isidoro. — Rio de Janeiro :   DarkSide Books, 2016.
  288 p. : il.

  ISBN: 978-85-66636-83-3
  Título original: *Navigating Early*

  1. Literatura norte-americana 2. Literatura fantástica
I. Título II. Isidoro, Débora

16-0400   CDD 813

            Índice para catálogo sistemático:
                1. Literatura norte-americana

[2017, 2024]
Todos os direitos desta edição reservados à
DarkSide® Entretenimento LTDA.
Rua General Roca, 935/504 — Tijuca
20521-071 — Rio de Janeiro — RJ — Brasil
www.darksidebooks.com

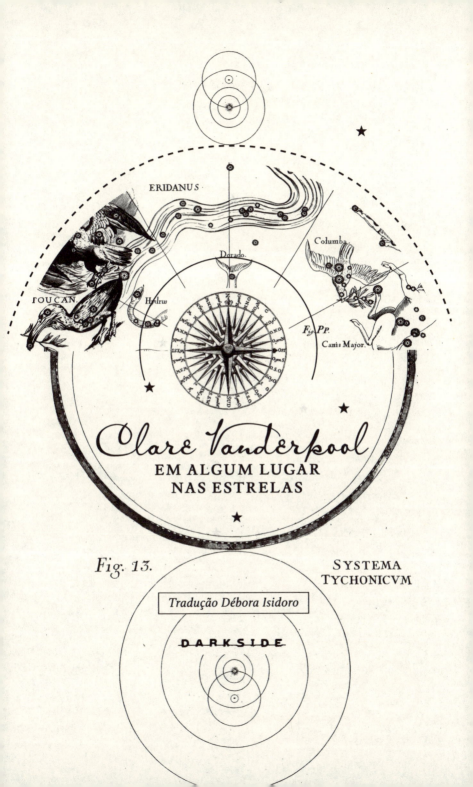

*Para meu marido, Mark,
e meus filhos Luke, Paul, Grace e Lucy,
as estrelas mais brilhantes no meu céu*

Draco.

URSA MAJOR

Lynx.

Fig. D.

A grande ursa negra,
impressionante como a Ursa
Maior, balançou a cabeça de um
lado para o outro, e seu rugido
fez tremer a passagem próxima
da Trilha Apalache. Eu digo que
é ela, mas a verdade é que não dava
para ter certeza. Não havia marcas
que indicavam que era fêmea.
Não havia filhotes à vista. Mas eu
sabia. Eu a conhecia como conhecia
minha própria mãe. Era sua
postura — a autoridade absoluta
sobre nós, dois garotos presos
por seu olhar. E era sua vontade
inabalável de nos manter vivos.

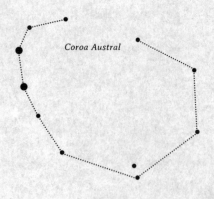
Coroa Austral

Prólogo

Se eu soubesse o que havia para saber sobre Early Auden, o mais estranho dos garotos, poderia ter sentido medo ou, pelo menos, ficado longe como todos os outros. Mas eu era novo tanto na Escola para Meninos Morton Hill quanto em Cape Fealty, Maine. Na verdade, era novo em qualquer lugar que não fosse o nordeste do Kansas.

Já ouvi alguém dizendo que o Kansas tem uma longa história de manter seus filhos e suas filhas perto de casa, mas, nos anos recentes, tem havido importantes exceções. O general Eisenhower, por exemplo. Todo mundo se orgulha muito de como ele liderou as forças dos Aliados durante a guerra contra a Alemanha. Ele voltou a Abilene para um grande desfile, mas foi embora assim que toda a euforia passou. Não acredito que tenha intenção de voltar a morar lá tão cedo.

Meu pai também é das Forças Armadas. Capitão John Baker Jr. Ele é da Marinha. Você sabe o que eles dizem: há dois tipos de homens — os que são da Marinha e os que queriam ser. Meu pai ouviu isso do pai dele, o contra-almirante John Baker. Sou o terceiro John Baker seguido. Acredite em mim, preferia ser o primeiro qualquer coisa a ser o terceiro. Mas você tem o que tem e é o que é. Esse ditado vem do lado materno da minha família. Os civis. Eles são o lado divertido. E me chamam de Jack. Minha mãe me chama de Jackie. Chamava, pelo menos.

Porém, as coisas mudaram. Foi assim que vim parar bem na borda do país. Dizer que sou um peixe fora d'água seria usar uma expressão boa, mas errada para a minha situação. Porque lá estava eu, um garoto do interior do Kansas, pisando a areia macia e na beira do mar. E tudo que eu conseguia fazer era enterrar meus pés bem fundo para não ser carregado.

A areia não era completamente estranha para mim. Eu tinha uma caixa de areia bem grande perto de casa. E já li histórias contadas pela National Geographic Society sobre dinossauros inteiros terem sido encontrados nas planícies do Kansas. Eles acham que, no passado, o estado pode ter sido coberto de água, e depois que ela foi embora, a areia e a terra impediram que os ossos se espalhassem e sumissem.

Early Auden sabia tudo sobre areia. Mas ele havia crescido no Maine, tinha um oceano inteiro lambendo sua praia, lavando-a. Na primeira vez que o vi, ele enchia sacos e mais sacos de areia e os empilhava como tijolos. Estava tentando impedir que o mar levasse alguma coisa, mas não sabia o quê. O que ele fazia era meio maluco, mas alguma coisa em mim entendia. Eu só fiquei ali olhando enquanto ele construía a muralha de sacos de areia.

Sabia que Early Auden não podia isolar o oceano. Porém, o mais estranho dos garotos me salvou de ser arrastado.

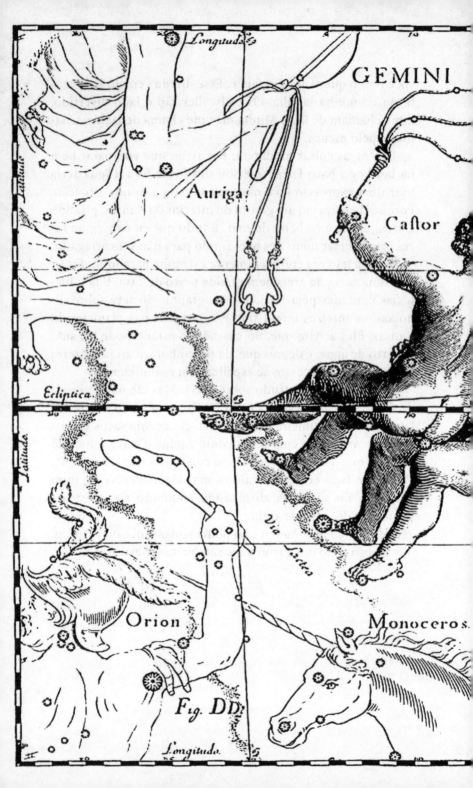

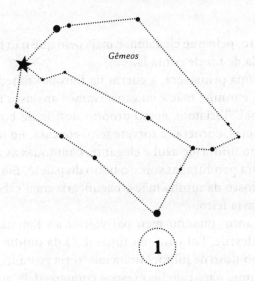

A primeira vez que a gente vê o mar deve ser muito emocionante ou aterrorizante. Queria poder dizer que foi uma dessas coisas para mim. Eu só vomitei na praia cheia de rochas.

Havíamos chegado ao Maine algumas horas antes a bordo de um avião militar de carga. A enorme aeronave tinha sacudido e balançado o tempo todo, enquanto meu pai lia alguns manuais de prontidão naval e fortificação costeira. Eu já me sentia enjoado antes de embarcar, estava muito pior quando sobrevoamos o Missouri e vomitei no saquinho quase todo o tempo que levamos para passar sobre Ohio, Pensilvânia e Nova York. O capitão — meu pai, não o piloto — não disse nada, mas eu sabia que ele estava pensando que o filho nunca se daria bem nas Forças Armadas, não com aquela propensão para o enjoo. Além do mais, meu rosto esverdeado não combinaria com o elegante uniforme da Marinha. Eu o observava pelo canto do olho, ainda desacostumado à sua presença.

Eu tinha nove anos quando ele foi embora, e meu pai passou quatro no Teatro de Operações Europeu. Quando eu era menor, pensava que esse era um lugar onde exibiam filmes.

No entanto, pelo que ele falou, e mais pelo que não falou, não havia nada de faz de conta lá.

Na última primavera, a guerra na Europa começou a perder força, e minha mãe e eu esperávamos ansiosos pela volta do meu pai. Teríamos nosso próprio desfile de boas-vindas com flâmulas, cornetas e sorvete feito em casa. Eu imaginava meu pai no uniforme azul e elegante, com todas as medalhas por bravura penduradas sobre o bolso do paletó. Ele daria um beijo no rosto da minha mãe e bagunçaria meu cabelo como sempre havia feito.

Entretanto, quando meu pai voltou ao Kansas, não foi para um desfile. Foi para um funeral. O da minha mãe. Era um dia nebuloso de julho. Minha mãe teria gostado. Ela sempre dizia que, para cabelos crespos como os dela, uma garoa constante era a segunda melhor opção depois de um permanente ondulado.

Para resumir a história, não tinha sorvete. Minha mãe não estava lá para ser beijada. Eu não tinha mais nove anos, por isso ele não bagunçou meu cabelo. E desde o começo éramos mais como dois estranhos morando na mesma casa do que pai e filho.

Acho que não deveria ter sido uma surpresa, afinal. Quando ele foi embora, eu era um menino lendo gibis de super-heróis no chão da sala de estar, esperando minha mãe me mandar ir lavar as mãos para o jantar. Quando ele voltou, eu era um garoto de treze anos, sem mãe e com um pai que mal conhecia. E não acreditava mais em super-heróis.

E foi assim que fui parar em um avião de carga a caminho de Cape Fealty, no Maine, e da Escola Morton Hill. Esse era o colégio interno exclusivo para garotos mais próximo do Estaleiro Naval de Portsmouth, onde meu pai ocupava um posto.

Depois de uma aterrissagem complicada, um jipe militar nos levou à escola. Quando nos aproximamos da Morton Hill, li as palavras inscritas sobre o arco de pedra na entrada. Era o lema dos Fuzileiros Navais: *Semper Fidelis* — "Sempre Fiel".

Passamos pelo arco a caminho do dormitório. Providências haviam sido tomadas com o sr. Conrady, o diretor, para que eu fosse matriculado tão tarde, em agosto, e eu deveria ser grato por isso. Porém, naquele momento, a única coisa que me fazia sentir gratidão era saber que logo estaria fora daquele jipe e pisando em terra firme.

O diretor Conrady cumprimentou meu pai, chamando-o pelo primeiro nome, e apertou minha mão com tanta força que me encolhi. Ele nos levou para conhecer o local. Morton Hill era uma escola preparatória para meninos fundada em 1870, mas, ao ouvir o nome dos prédios e campos que ele apontava, pensei que, no passado, já deve ter sido uma escola militar. O diretor mostrou os dois prédios de salas de aula, Lexington Hall e Concord Hall. Lexington era o prédio dos alunos do nono ao décimo segundo ano, e Concord era para o sexto, sétimo e oitavo anos. Ele mostrou os dormitórios: Fort O'Brien para os meninos do científico, cujo nome era o mesmo do forte construído perto do local da primeira batalha naval da Guerra de Independência. Camp Keyes, para os garotos mais novos, era meu posto — ou melhor, onde eu ficaria. Pershing Field e Flanders Field House, o primeiro batizado com o nome de um general, o segundo, com o nome de um campo de batalha na Primeira Guerra Mundial, eram a quadra de atletismo e o ginásio empoleirado no topo de uma colina com vista para o mar.

Os prédios mais novos eram o Normandy Greenhouse e o Dunkirk Commons (também conhecido como salão da bagunça). Quando o diretor Conrady apontou a capela de ripas brancas, pensei se não havia ali pelo menos uma estrutura com um nome mais brando, como Igreja do Bom Pastor ou Capela dos Anjos Desarmados. Mas não. A Capela do Armistício era um lugar de paz, mas apenas se você assinasse o tratado e ficasse em posição de sentido.

O prédio que restava do campus original de 1870 — a única estrutura que havia escapado da enxurrada de nomes militares — era o estaleiro, carinhosamente chamado de Recanto.

Quando o diretor Conrady se preparava para nos deixar no dormitório, ele trocou algumas palavras em particular com meu pai. Pela cara dele e pelo jeito como olhava para mim de vez em quando, deduzi que o diretor expressava seu pesar pela perda da esposa do capitão e garantia que a escola seria um ambiente saudável para seu nauseado filho.

Em voz mais alta e com a intenção de ser ouvido, o diretor Conrady falou:

— Vamos cuidar bem dele. Ele será um novo homem quando você voltar para a Regata de Outono.

Eu não sabia o que era a Regata de Outono. Parecia o nome de um baile, apesar de que, sendo aquela uma escola só para meninos, eu não saberia com quem iríamos dançar.

Quando o diretor Conrady me encarou, fiquei sem saber se ele esperava que eu batesse continência. Mas ele me chamou para perto com um gesto, pôs a mão grande sobre meu ombro e baixou as sobrancelhas grossas.

— Filho — disse ele —, os garotos aqui na Escola Morton Hill são parecidos com os garotos de qualquer lugar. Se quiser se sentar com um grupo no almoço, eles provavelmente vão aceitá-lo. Se quiser se sentar sozinho, é capaz de também aceitarem sua escolha. Meu conselho para você — concluiu, levantando o pulso cerrado — é que participe.

— Sim, senhor — respondi com as pernas tremendo um pouco. Depois disso, o diretor finalmente me dispensou para ir ao dormitório.

Ele não falou "à vontade", mas, quando entrei no quarto, deixei escapar um suspiro que, aparentemente, segurava há algum tempo. Eram duas camas. Os alunos já haviam sido separados por quartos e, como minha matrícula foi feita depois do período normal, eu ficaria sozinho. Mesmo assim, só precisava de uma cama, e escolhi a que ficava perto da janela. Depois, nós, o capitão e eu, mas principalmente o capitão, desfizemos as malas. Camisas na gaveta de camisas, roupas de baixo na gaveta de roupas de baixo, meias na gaveta de meias, tudo em ordem. Eu já havia recebido a calça e a blusa de moletom do uniforme da Morton Hill, e vi no armário a calça cáqui pendurada ao lado do paletó azul-marinho com o brasão da escola bordado no peito.

O capitão pegou um jogo de lençóis do armário e arrumou minha cama rapidamente, com precisão militar. Cantos perfeitos em ângulos de 45 graus e lençóis presos no colchão, tão esticados que fariam uma moeda de 25 centavos ricochetear. Eu já havia dormido em uma cama feita por meu pai, e era um pouco difícil respirar nela.

Mesmo depois dos últimos dois meses, ainda era estranho ficar sozinho com ele. Meu pai havia passado muito tempo longe, e agora, de repente, estava de volta, mas não completamente. Parecia distante, como se fosse desconfortável ficar fora do navio, como se suas pernas de marinheiro não se ajustassem à terra firme.

Eu já havia pedido e insistido para ficar em casa com meu avô Henry e o irmão solteiro da minha mãe, o tio Max, mas decidiram que o melhor era que eu ficasse com meu pai. Ninguém entendia que eu podia estar ao lado do capitão e, mesmo assim, ele continuaria a um milhão de quilômetros de distância.

— Pegou todo o equipamento? — perguntou.

Equipamento? Ele falava como se eu estivesse me preparando para ir para o reformatório. Talvez fosse essa sua intenção, me mandar para um lugar onde eu seria chicoteado até entrar em forma e me tornar um verdadeiro homem da Marinha.

— Tenho tudo de que preciso — respondi em voz baixa.

Levantei a mala para guardá-la na prateleira do armário, mas ainda tinha alguma coisa dentro dela. Peguei a pilha das minhas revistas mensais favoritas publicadas pela National Geographic Society. Eu era membro da Society desde os sete anos e tinha dúzias de exemplares em casa, mas só havia levado alguns. Dei uma olhada na pilha para ver quais eu tinha pego. Janeiro de 1940: "Baleias, toninhas e golfinhos".

Outubro de 1941: "A vida diária no Antigo Egito". Setembro de 1942: "Alasca estratégico olha à frente".
Percebi depois que as outras revistas eram quadrinhos que eu pensava ter deixado em casa. Super-Homem. Batman. Capitão América. Esses personagens, que um dia haviam feito parte do meu cotidiano, agora pareciam tão distantes para mim quanto o Antigo Egito. E eu não tinha vontade de me reaproximar. Super-heróis eram para pessoas que ainda não haviam crescido. Guardei a pilha inteira de revistas na última gaveta da mesa encostada à parede.
O último objeto na mala era uma caixinha. Eu a havia enchido de lenços de papel, mas o conteúdo ainda chacoalhava e fazia barulho. Consegui ver os pedaços vermelhos e brancos de porcelana quebrada antes de levantar a tampa, por isso escondi rapidamente a caixinha na mala e a guardei no armário.
O capitão sugeriu fazermos um lanche no refeitório. Falei que não estava com fome. Então nos despedimos de um jeito meio estranho, que envolveu uma continência e um aperto de mão, enquanto ele me dizia para eu me cuidar. Eu me encolhi involuntariamente. Ele havia dito para cuidar da minha mãe quando partiu, quatro anos atrás. Estava agora me lembrando de como eu havia fracassado? Eu ainda estava pensando nisso quando vi o jipe partir.
Olhei para a cama recém-arrumada e lembrei-me de uma vez que construí um carro para a corrida anual de caixa de sabão. Ele tinha uma cabine espaçosa e rodas perfeitamente equilibradas para uma locomoção rápida e suave, e era pintado de vermelho brilhante. Eu sabia que ganharia a grande corrida. O único problema foi ter deixado o carro do lado de fora no dia anterior. Ele ficou encharcado e torto, e a pintura vermelha desapareceu.
Meu pai ficou bravo por eu ter deixado o carro largado na chuva e falou:
— Bom, filho, você fez a cama, agora vai ter que deitar nela.
Mas minha mãe balançou a cabeça para ele e me disse:

— Sim, você fez a cama, mas, por favor, *não* simplesmente se deite nela!

Fiquei olhando para ela com ar confuso, tentando entender o recado. Minha mãe tinha um jeito de usar expressões que era tão misterioso e confuso quanto um mapa de cabeça para baixo.

Ela cruzou os braços.

— Jackie, se não gosta da cama como está, é só desarrumá-la e arrumá-la de novo.

Levei a noite toda para rearrumar tudo. Desmontei o carro de caixa de sabão e o montei novamente com madeira nova e tinta vermelha. Eu nem me lembro de ter terminado e quase dormi em cima do volante no dia seguinte na corrida. Cheguei em segundo lugar.

Em pé no dormitório, olhando para minha cama perfeitamente arrumada, respirei fundo. No entanto, não tinha forças naquele momento para desarrumá-la e arrumá-la "para mim". Então saí do quarto.

O dormitório estava deserto. A maioria dos garotos só chegaria no dia seguinte. Eu não gostei de como meus passos ecoavam no corredor, e precisava de um pouco de ar fresco. Era isso. Ver o oceano, sentir o ar salgado sobre o qual havia lido nos livros me ajudaria a superar o enjoo. Tirei as meias, enrolei as pernas da calça e desci pela trilha de terra até a praia.

De repente, lá estava. O mar. Com toda aquela ondulação infinita e as ondas lambendo a praia. O movimento pesado que dava a impressão de que tudo em torno dele também se movia, acompanhava o balanço. Olhei uma vez para a ondulação e me dobrei — e foi nesse momento que vomitei.

Quando tive certeza de que as ondas não viriam e me engoliriam inteiro, levantei a cabeça, mas tentei não olhar para a água em movimento. Olhei para a praia. Assustei-me ao ver alguém, mas lá estava ele, um garoto cercado de areia tentando encaixar saquinhos bem-arrumados, empilhando-os para formar um muro.

O garoto não disse nada, então imaginei que não tivesse me visto. Virei e me afastei dali. Podia ser bobagem sair daquele jeito, mas as aulas ainda nem haviam começado, e quem queria ficar conhecido como o novo aluno do Kansas que não conseguiu segurar o almoço no estômago só porque viu o mar?

Além do mais, a areia me fazia pensar na minha mãe. Ela sempre descrevia meu cabelo como castanho-arenoso, e agora que via as diferentes tonalidades de marrom, cinza e até vermelho, podia entender por quê. Senti as lágrimas se formando e me entreguei por um momento à lembrança dela.

Minha mãe era como a areia. Do tipo que o esquenta na praia quando você sai da água tremendo de frio. Do tipo que gruda no corpo, deixando uma impressão na pele para fazer você se lembrar de onde esteve e de onde veio. Do tipo que você continua achando nos sapatos e nos bolsos muito tempo depois de ter ido embora da praia.

Ela também era como a areia que os arqueólogos escavam. Camadas e camadas de areia que mantiveram os ossos dos dinossauros juntos por milhões de anos. E por mais que a areia fosse quente, árida e simples, os cientistas agradeciam por ela, porque sem a areia para manter os ossos no lugar, tudo teria se espalhado. Tudo teria desmoronado.

Olhei por cima do ombro, mas o garoto havia ido embora.

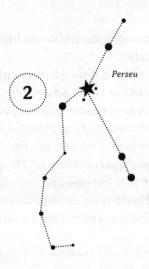

O dia seguinte foi cheio de garotos, caixas e quadros de aviso. Malas, livros e travesseiros. E em todos os lugares havia mães dando abraços apertados e beijos cheios de lágrimas.

Passei a maior parte do dia na biblioteca, andando de estante em estante, respirando o cheiro familiar de livros, cera para madeira e nanquim. Era bom estar fechado entre as prateleiras, que não balançavam nem se moviam. Elas eram sólidas e estáveis. Talvez fosse essa a sensação que as vacas tinham quando voltavam ao curral depois de um dia no campo aberto.

A bibliotecária se apresentou de um jeito quieto, típico das bibliotecárias, dizendo que seu nome era Srta. T. Ela sorriu e explicou que era uma abreviação para Traça. Eu não falava muito, então ela me levou para conhecer a biblioteca e me mostrou a seção de ficção e livros de pesquisa, e ficou especialmente animada com a coleção de poesia. Quando não correspondi ao seu nível de entusiasmo por Longfellow e Hopkins, ela sorriu, me incentivou a dar uma olhada por ali e voltou ao catálogo de fichas. Andei entre as estantes até encontrar as revistas da *National Geographic*. Em pé diante daquelas lombadas amarelas enfileiradas em ordem numérica, senti por um momento que eu tinha um lugar, um pequeno ponto ao qual pertencia.

Então a porta se abriu e dois garotos enfiaram a cabeça pela abertura. Olhando em volta, aparentemente não encontraram quem ou o que procuravam e foram embora.

Não houve oportunidade para apresentações, mas, mesmo que houvesse, não sei bem o que eu falaria. "Olá, meu nome é Jack. Sou do Kansas e queria estar lá." De qualquer maneira, teria sido bom ter pelo menos uns dois nomes para associar àqueles rostos. Havia uma estante de troféus na parede do outro lado da biblioteca. *Talvez tenha a foto de um daqueles garotos lá*, pensei.

A estante estava cheia de troféus e placas de anos de vitórias da Morton Hill. Basquete, futebol americano, corrida. Havia fotografias de rapazes usando os uniformes dos times, sorrindo com a alegria da vitória e abraçados numa demonstração de camaradagem. Estudei os rostos — firmes, corados e jovens — como se fossem rostos da história. E eram mesmo, porque as datas voltavam no tempo até o fim do século xix.

Eu me movia ao longo da estante enquanto os rostos iam ocupando os anos, um mesclando-se ao outro sem definição. Então, um deles se destacou.

Um garoto mais velho aparecia sozinho em um retrato. O cabelo estava penteado para trás, e o rosto era forte, bonito. Embaixo da foto, escritas com tinta branca, vi as palavras "Capitão da equipe de Morton Hill, remo e futebol americano, turma de 1943". A foto descansava sobre uma camiseta com o nome do jogador e um número nas costas: fish-67. Mas não foi a camiseta ou o troféu que chamou minha atenção. Foi o rosto dele. O sorriso. Ele sorria como se guardasse a vida naquela taça de campeão e pudesse beber dela sempre que quisesse. Sorria como se aquele momento vitorioso fosse durar para sempre.

Então percebi meu próprio reflexo no vidro. Meu rosto era diferente. Não só por ser mais jovem. Não só porque não sorria. Mas porque o verão passado me ensinou uma lição que, pelo que eu via, o capitão da equipe ainda não havia aprendido: a vida não cabe em uma taça, e nada dura para sempre. De repente, senti pena do Número 67 e de tudo que ele não sabia.

A manhã de segunda-feira chegou como uma chuva fria no Kansas em um dia quente e úmido. Em outras palavras, foi um alívio. Porque agora, pelo menos, eu tinha um horário. Sabia que história vinha primeiro, seguida de latim, inglês e matemática. Ciências e educação física ficavam para a tarde.

Pensei que, sabendo o que ia acontecer, talvez pudesse me localizar. Era disso que eu precisava. Localização. No Kansas, você pode sair e enxergar quilômetros em todas as direções. Pode sempre calcular onde está tomando por base o pináculo da igreja, o moinho ou o celeiro que se ergue como um farol no horizonte. Esses marcos servem para manter a pessoa enraizada. Firme no chão. Mas então entendi: para ter marcos, era preciso ter terra. E o ar salgado que enchia meus pulmões me fazia lembrar que muito do que me cercava naquele lugar era água. Água em constante movimento, sempre mudando. Comecei a me sentir enjoado de novo.

O professor de história era um homem baixo com dedos grossos que parecia muito animado com um bando de gregos que deviam ser todos da mesma família: Édipo, Perseu, Teseu. O nome dele era professor Donaldson. Ele fez a chamada e todo mundo respondeu "presente", exceto um aluno. Early Auden.

Latim. Sr. Hildebrandt. Mesma chamada. Mesmo aluno ausente. Early Auden.

E foi assim até matemática. Então, quem apareceu? Early Auden. E eu o reconheci. Era o garoto da praia. O menino dos sacos de areia. Ele era pequeno, devia ter pouco mais de um metro e vinte. Os pés ficaram pendurados quando ele sentou na carteira.

— Bom dia, cavalheiros. — O professor de matemática cumprimentou a turma e deixou sobre a mesa uma caneca de café fumegante. — Eu sou o professor Eric Blane — disse, e começou a escrever na lousa. — Como muitos sabem, este é meu primeiro ano na Morton Hill, e estou ansioso para conhecer cada um de vocês.

Ele virou de frente para nós, e olhamos para o que estava escrito na lousa.

O Cálice Sagrado.

— Todo mundo conhece a lenda do rei Arthur e sabe que sir Galahad procurava o Santo Graal, aquele cálice sagrado, misterioso e perdido usado na Santa Ceia. Por séculos, ele foi reverenciado como um recipiente milagroso e procurado por reis e príncipes, humanitários e tiranos. Existe, supostamente, uma irmandade de guardiões para manter o cálice *seguro*. Ou, podemos dizer, para impedir que seu encanto misterioso seja avaliado à luz do ceticismo e do conhecimento moderno.

O sr. Blane sentou-se à mesa na frente da sala.

— Não estamos aqui para discutir a autenticidade do Graal, mas a natureza e os méritos de uma cruzada. Por que alguém embarca em uma empreitada desse tipo? — O sr. Blane olhou para sua lista de chamada e estudou a sala. — Sam Feeney?

Um menino rechonchudo sentado ao meu lado fechou um pouco um olho.

— Arrghh. Para procurar um tesouro enterrado, capitão.

Os outros garotos riram.

— Falou como um pirata de verdade — respondeu o sr. Blane. — Mas, sim, para procurar alguma coisa. Pode ser um tesouro. Porém, pode ser também a busca por alguma coisa menos tangível. Já ouviram falar na busca da felicidade? Ou da justiça?

— Tesouro enterrado me parece algo mais animador — disse Sam.

— Talvez. Mas e a busca pela verdade? Talvez fosse este o verdadeiro objetivo de sir Galahad. Desmistificar o milagroso. E se ele procurava o Graal, aquele recipiente sagrado, apenas para mostrar que era só um cálice?

Os meninos olhavam para o professor com ar intrigado.

— Caramba, sr. Blane, você sabe como tirar a graça de uma boa história — disse Robbie Dean Meyer, um menino ruivo com quem eu sentei na aula de latim. — E aqui não é a aula de matemática?

— Precisamente. Então, o que isso tem a ver com matemática? — perguntou o professor. — Qual é o cálice sagrado da matemática? Alguma coisa tão misteriosa, que muitos consideram um milagre. Uma coisa entrelaçada no mundo matemático. Um número que é nada menos que infinito. Eterno.

Várias mãos se ergueram com a última dica.

— Preston Towsend?

— É o pi, senhor — respondeu um garoto com jeito de atleta sentado na segunda fileira. O cabelo era penteado com precisão, e o jeito como ele se posicionava na cadeira, com o lápis na mão, dava a impressão de que estava prestes a pedir por ordem em uma reunião muito importante. Imaginei que o pai dele devia ser banqueiro ou político. Ou talvez o governador do grande estado do Maine.

— Sim, o pi. O cálice sagrado da matemática. Esse número misterioso que fascina matemáticos há milênios. Surgiu com os babilônios, foi usado pelos gregos para medir a circunferência da Terra, foi considerado um número milagroso por alguns e obra do diabo por outros. Então, qual é o valor dele? Robbie Dean?

— Essa é uma pergunta complicada, sr. Blane. Todo mundo sabe que pi começa com 3,14 e continua. Nós tivemos que decorar os primeiros cem dígitos no ano passado. Mas o pi é...

A sala toda se juntou a ele para dizer:

— ...um número infinito e sem repetições.

— Viu? Todo mundo sabe disso — concluiu Robbie Dean.

— Você quer dizer que todo mundo aceitou isso como um fato — respondeu o sr. Blane.

Nós nos agitamos em nossas carteiras, incertos sobre o que ele queria dizer.

— Junto com sir Galahad, acredito que podemos acrescentar mais um nome à lista dos que se dedicaram a grandes buscas. Professor Douglas Stanton. Ele é um matemático de Cambridge que se dedica a uma cruzada. Passou boa parte da carreira estudando esse número e tem uma teoria de que, ao contrário da crença popular, o pi *não* é um número infinito. Sim, é um número incrível com mais de setecentos dígitos conhecidos atualmente, e milhares de outros ainda a serem calculados. Contudo, ele acredita que, sim, o número acaba.

O sr. Blane limpou o pó de giz dos dedos.

— Por que estou falando sobre isso? Porque este ano vamos nos dedicar a uma busca pessoal, a de expandir o pensamento, desafiar o que acreditamos saber e ampliar os limites da matemática. Se pi, o número mais venerável, pode ter fim, o que mais aceitamos cegamente e ainda pode ser posto à prova? — O professor afrouxou a gravata. — Então, vamos começar a trabalhar. Abram o livro na primeira página.

Olhei para trás, mas a carteira de Early estava vazia e a porta da sala se fechou em silêncio.

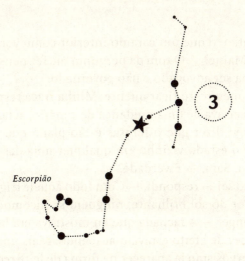

Escorpião

Quando entrei no refeitório naquele primeiro dia, lembrei o que o diretor disse sobre sentar com um grupo na hora do almoço.

Por mais que eu preferisse ficar sozinho, entrei na fila, peguei minha bandeja de rocambole de carne, vagem e gelatina com fatias de banana e depois me arrisquei a escolher uma mesa de garotos que reconheci de algumas aulas.

Um deles, o rechonchudo Sam Feeney, continuou falando tranquilamente.

— Qualquer pessoa que acha que pode ganhar de um veleiro com uma canoa é muito burro. Vamos perguntar para o garoto novo. Baker, o que é mais rápido? Um veleiro ou uma canoa?

Eu não sabia sobre o que eles estavam falando, por isso escolhi o caminho mais seguro. Dei de ombros e disse:

— É como trocar seis por meia dúzia.

— Bom, e os barcos a remos? — perguntou Robbie Dean.

— Prefere os finos, os largos ou os leves, de corrida?

— Ah, sei lá. Normalmente, os finos e os largos. Mas os leves também não são ruins.

Eles me encaravam, com certeza tentando decidir o que pensar sobre mim, quando Preston Towsend falou:

— Então, o que um cara do interior como você veio fazer aqui no Maine? — O tom da pergunta me fez pensar que o pai dele devia ser advogado e não governador.

Senti meu rosto ficar quente. Minha fraca resposta foi:

— Precisava de uma mudança de cenário, acho.

— Ouvi dizer que o Kansas é tão plano que dá para ver tudo até o estado vizinho em qualquer uma das direções — comentou Sam. — É verdade?

— Não sei — respondi. — Com todo aquele trigo balançando e o pôr do sol brilhante, ninguém se incomoda em olhar muito longe. — A fachada que eu mostrava era boa, mas minhas frases de efeito estavam acabando. Mais uma pergunta, e meu nervosismo ia aparecer na forma de leite respingado ou gotas de suor. Pensei depressa e decidi mudar o foco para a estranheza de outra pessoa. — Então, qual é o problema do garoto que nunca aparece na aula? — perguntei.

— Early Auden? — respondeu Preston. — Não tem muito o que falar. O pai dele era do conselho administrativo, teve um infarto e morreu. Agora o garoto tem bolsa integral aqui, mas escolhe em que aulas vai aparecer. Às vezes, ele entra e ocupa uma carteira, mas sai assim que o professor fala algo de que ele discorda. É tão esquisito que ninguém faz nada sobre isso.

— É —acrescentou Sam. — No ano passado, ele saiu da aula de biologia e nunca mais voltou, só porque o sr. Nelson disse que não existem cobras venenosas no Maine. Early insistiu que ainda existem cascavéis no norte e saiu da sala.

— E como ele tem tanta certeza de que ainda há cascavéis? — perguntei.

— Sei lá. Ele tem certeza de um monte de coisas. Às vezes, tem uns ataques estranhos, fica de olhos vidrados e treme. Parece que esses ataques estragaram o cérebro dele.

O sinal soou, encerrando a conversa sobre o estranho garoto. No entanto, eu sabia que a história ia além disso.

— A gente se vê na educação física, Baker. E não esquece os remos. — Preston sorriu quando levantou da mesa.

O treinador Baynard estava parado perto do lado mais fundo da piscina coberta, e a luz refletida na água projetava ondas na parede de azulejos. O ar era denso e úmido, com um cheiro forte de cloro. Ele soprou o apito com força, e o som agudo ecoou pela área fechada. Garotos vestidos com sunga preta se perfilaram, exibindo pernas nuas de todos os formatos: compridas, curtas, a maioria magra, algumas roliças, peludas, brancas, de joelhos redondos, tortas, esquisitas.

O treinador apitou de novo.

— Muito bem, vamos ver o que conseguem fazer com isto! — Ele levantou do chão um peso de cinco quilos e o jogou na piscina. — Mergulhem e empurrem ou carreguem o peso até onde conseguirem sem voltar à tona para respirar. Quando voltarem à superfície, essa vai ser a distância válida. Robbie Dean, você começa.

Dean se colocou na beirada da piscina, levantou os braços finos e os alongou, primeiro com uma das mãos sobre um ombro, depois a outra, como se fosse o campeão mundial de movimentação de peso embaixo d'água.

— Olhem e aprendam, caras.

Após alguns assobios da turma, ele sorriu e mergulhou.

Ficamos olhando do deque enquanto ele descia até o fundo, primeiro empurrando, depois puxando o peso. Robbie Dean conseguiu percorrer metade da ladeira de piso escorregadio antes de subir à superfície, ofegando e rindo.

— Quero ver se conseguem fazer melhor! — gritou ele.

Os garotos no deque apontaram e urraram quando o peso escorregou de volta à posição inicial na parte mais funda da piscina.

— É, você mostrou mesmo como se faz. Por que não dá outra aula para a gente?

Sam Feeney foi o próximo. Ele levou o peso até o fim da subida antes de voltar à tona para respirar. Preston Towsend fez ainda melhor empurrando o peso até a metade da piscina.

O treinador gritou outro nome.

— Baker. Sua vez.

Olhei em volta surpreso, pensando que devia haver outro Baker, mas os olhos dele estavam em mim.

— Vamos lá, filho. Você sabe nadar, não?

Claro que eu sabia. Minha mãe me levava ao lago perto de casa desde que eu era pequeno. Nadava mais rápido e prendia o ar por mais tempo do que qualquer garoto da minha idade.

— Sei, sim — respondi, assumindo minha posição na beirada da piscina. Meu dedão encostou na marca de dois metros e meio pintada em vermelho. A dança das luzes refletidas na superfície me deixava tonto. Mas, com todo mundo olhando para mim, mergulhei.

Nadei com facilidade até o fundo, perto do ralo. Lá estava o peso de cinco quilos esperando que eu fosse o primeiro a empurrá-lo até o outro lado da piscina. No entanto, outra coisa me chamou a atenção. Uma coisa brilhante. Um anel? Eu sabia que devia ser minha imaginação. Meu anel de navegador não estava nem perto daquela piscina. Ainda assim, alguma coisa brilhava perto do ralo. Fiquei muito animado quando meu pai me deu aquele anel, pouco antes de ele ir para a guerra. Na época em que acreditava que o anel podia fazer de mim um navegador como ele, capaz de guiar um navio pela luz das estrelas. Quando pensava que, com aquele anel, eu sempre poderia encontrar o meu caminho. Porém, depois do acampamento de sobrevivência dos escoteiros no último mês de julho, ao qual sobrevivi por pouco, sabia que essas coisas não eram verdade. Como disse à minha mãe, era só um anel idiota. Entretanto, agora ele tinha um peso sobre mim, me levava para o fundo.

Estendi a mão para ele no fundo da piscina da Morton Hill, pressionado pela água. Meus ouvidos doíam e meus pulmões estavam explodindo. Então, não consegui mais vê-lo. Nada brilhava. Mas ele estava lá. Puxei a tampa de metal do ralo. Ela não se moveu. Eu me sentia sonolento, como se não conseguisse mais manter os olhos abertos. Mas eu vi. Estava lá.

De repente, senti mãos fortes segurarem meus braços e me puxarem para cima. Ar. A luz ainda dançava nas paredes de azulejos. E muitos rostos olhavam para mim.

O treinador me levou para a beirada e outras mãos me puxaram para fora da água.

— Ele está respirando? — cochichou Robbie Dean.

Eu tossi, meio sufocado, respondendo à pergunta.

— Saiam do caminho! — gritou o treinador. — Ei, Baker? O que estava fazendo? Ficou lá embaixo por mais de um minuto e nem tocou no peso.

— Eu... eu... — Lágrimas enchiam meus olhos. — Estou me sentindo enjoado — murmurei.

— Certo. Você realmente está meio pálido. Vá para o vestiário, garoto. Pode tentar de novo na próxima vez.

O anel brilhante havia estado lá.

Peguei uma toalha e cambaleei para o vestiário, onde um grupo de alunos mais velhos trocava golpes de toalhas, assobiava e gritava. Não sou nenhum gênio, mas, mesmo tonto como estava, sabia que minhas pernas magras e brancas seriam alvo fácil ali.

Por isso abri a primeira porta que vi e desci uma escada para uma área de trabalho pouco iluminada. Minha cabeça ainda girava quando me apoiei ao metal frio da porta identificada com a palavra "Zeladoria". Fechei os olhos e fiquei esperando a sensação passar, lembrando.

Nossa expedição de sobrevivência dos escoteiros havia acontecido nos bosques do nordeste de Kansas. O líder da tropa nos levou a uma trilha que teríamos que percorrer contando apenas com sinalizações naturais, as estrelas e o próprio conhecimento. Passamos semanas nos preparando. Estudamos a Estrela do Norte, a Ursa Maior e a Ursa Menor, todas as constelações. Eu conseguia identificar todas elas. Mas, naquele dia, o céu estava nublado. Era só um quilômetro e meio de ida e um quilômetro e meio de volta. Teríamos que contar com outros pontos de referência, a menos que o céu ficasse limpo. Eu sabia que concluiria a tarefa antes do anoitecer e nem ia precisar das estrelas.

No entanto, enquanto andava naquele úmido fim de tarde de julho, as árvores ficaram todas iguais. Um arbusto se confundia com o outro. Caminhos de pedra viravam para os dois lados, me deixando tão confuso que eu mal conseguia saber de onde eu tinha partido.

Eram quase dez da noite quando ouvi o chefe da tropa e os outros escoteiros me chamando. No caminho de volta para casa, tive que aturar a gozação dos garotos sobre como eu não conseguia me orientar em uma área correspondente a um alqueire e como eles se sentiam felizes por meu pai ter mais senso de direção do que eu, ou o navio dele nunca teria encontrado a costa da Normandia no Dia D.

Sentado ali, no caminho para casa, infeliz e sacudindo no fundo da caminhonete, eu nem imaginava quão perdido me sentiria em breve. Se soubesse sobre minha mãe e o que aconteceria com ela, eu poderia ter feito algo diferente? Não conheço nada que pudesse ter mudado o que aconteceu.

De repente, percebi que a água que pingava do calção formou uma poça à minha volta. Abri os olhos e me arrisquei a ir além da porta. A sala era quente e tinha um ruído baixo, estático, aéreo. Uma típica sala de zeladoria ocupada por todo tipo de ferramentas: martelos, alavancas, chaves. Qualquer coisa que alguém pudesse esperar encontrar em uma área de manutenção, apenas bem mais arrumado. Meu pai teria se sentido em casa. Um lugar para cada coisa e cada coisa no seu lugar.

Porém, quando deixei meus olhos estudarem o local, notei objetos inesperados. Como uma cama estreita, prateleiras de livros, lousas cheias de números, equações e desenhos. Não eram desenhos comuns, mas imagens formadas por pontos ligados. Um caçador, um escorpião, um caranguejo. E um grande urso. Reconheci aquelas formas. Eram constelações. O urso era a Ursa Maior.

Também havia um quadro de avisos com vários recortes de jornal. As manchetes diziam:

URSO-NEGRO ESPREITA A TRILHA APALACHE

MAIOR URSO-NEGRO DE QUE SE TEM NOTÍCIA

RECOMPENSA PELA MORTE OU CAPTURA
DE GRANDE URSO APALACHE

O som persistia, aéreo como um longo suspiro, mas não era só isso. Segui o ruído até um velho fonógrafo em cujo prato um disco girava, mas a agulha havia chegado ao fim dos sulcos, produzindo apenas aquele ruído rítmico como um sussurro. Havia uma coleção de discos, todos arrumados perfeitamente sobre uma prateleira. Eu me aproximava para ver que disco girava na vitrola, quando ouvi a voz em um canto no fundo da sala.

— Não se sabe onde ele está enterrado.

Virei segurando a toalha sobre os ombros. Era Early Auden.

Lira

4

— Onde quem está enterrado? — perguntei.
— Mozart. — Ele apontou para o disco. — Está em algum lugar em Viena, mas não tem lápide com o nome para marcar o local. Você acha que era isso que ele queria? Deixar sua música viver, seguir desonerado de elogios e adulações?

Eu não sabia o que significava "desonerado", e pensei que adulação podia ser uma bebida, então me limitei a responder o que devia ser óbvio.

— Não sei.
— Acho que ele queria que fosse assim. Queria ser enterrado naquele espaço em branco. Está ouvindo? — O menino falava de um jeito engraçado. Meio alto demais. Sem entonação.

Prestei atenção, mas só ouvia o barulho da agulha no rótulo do disco.

— Não tá tocando nada. Você precisa mudar a agulha de lugar.
— Não. Mozart é só para o domingo. Você estava zangado quando correu para cá. Então, criei o ruído branco para você. Para acalmá-lo. É o que eu faço quando estou perturbado. Escuto o ruído branco. Sente-se melhor?

— Sim, obrigado. — Eu sabia que aquele garoto era estranho. Só estava tentando avaliar quanto. Até agora, eu tinha consciência de que ele empilhava sacos de areia para conter o oceano, faltava em todas as aulas menos matemática e parecia morar no porão da escola onde estudava. O jeito como se vestia era bem normal, embora um pouco cuidadoso demais com a camisa xadrez para dentro da calça cáqui e o cabelo dividido e penteado para baixo, com um tufo que se destacava na parte de trás.

E a pergunta persistia. Ele era estranho do tipo camisa de força ou só um esquisito do tipo que passava o recreio sozinho e enfiava insetos no nariz? No segundo ano, conheci um menino que fazia isso.

Ainda estava tentando decidir quando ele me entregou uma calça cáqui e uma camisa oxford, e também um par de sapatos dockside.

— Tem uma cueca no sapato esquerdo e meias no direito. É assim que você faz?

— Pode ser — respondi. — Obrigado. — Não costumava guardar cuecas e meias nos sapatos, mas o gesto dele era gentil, por isso tirei da lista de possibilidades o "estranho do tipo camisa de força". Quando vesti as roupas secas, me surpreendi por ficarem muito grandes em mim, porque Early era bem magro. Enquanto calçava as meias e os sapatos, olhei em volta estudando a incomum coleção de martelos, lousas e discos.

— Que lugar é este?

— É a minha oficina. Meu pai nunca me deixou ter uma oficina em casa. Dizia que eu ia acabar com a vida dele. Mas não fui eu. Foi o coração. Ele teve um infarto.

— Entendo — falei, mesmo não entendendo. — Mas o zelador não trabalha aqui?

— Não. O sr. Wallace, o zelador, não gostava de me ver aqui, por isso montou outra sala no porão do prédio do científico. Além do mais, ele gosta de beber. De vez em quando leva escondido uma garrafa de bebida para lá. Ele chama isso de "dar uns goles". Meu favorito é quando ele diz que "vai tomar umas e outras". Mas ele prefere tomar umas e outras sem ninguém por perto.

— Sei — falei devagar, pensando que Early sabia muito mais do que eu imaginava que soubesse. — Então, os discos e as lousas são do seu pai?

— Não. Ele não tem mais nada, porque está morto. — Early pegou um giz, e com mãos que só podiam ser descritas como delicadas, começou a adicionar números a uma série de algarismos já escrita na lousa. Ouvi um ruído profundo, uma espécie de coaxar perto da vitrola.

— É o Bucky. Ele é uma rã-leopardo-do-norte. É meu há dois anos.

— E quanto à sua mãe?

— Ela nunca teve um sapo.

— Não. Quero saber onde ela está.

— Morreu quando eu nasci antes da hora.

Ah, agora estamos chegando a algum lugar.

— Então você mora aqui? Na sala do zelador?

— Sim. Morei no dormitório até o ano passado, mas era muito barulhento. Gosto daqui. É quentinho e silencioso.

— E se Mozart é para os domingos, quem você ouve no resto da semana?

— Louis Armstrong às segundas. Frank Sinatra às quartas. E Glenn Miller às sextas, a não ser que esteja chovendo. Se chove, é sempre Billie Holiday.

— E terça, quinta e sábado? — perguntei.

— São dias sem música. A não ser que esteja chovendo.

Dei de ombros.

— Sei. E o que é tudo isso? — Apontei para o quadro-negro.

Ele continuou de onde havia parado, escrevendo números na lousa um depois do outro: *806613001927...*

— É nessa parte que Pi se perde em um furacão e é salvo por uma baleia, e ele vai parar na praia de uma ilha tropical pouco antes de o vulcão entrar em erupção.

Eu estava começando a reconsiderar a camisa de força. Então fiz a Early Auden, o mais estranho dos garotos, a mais importante das perguntas.

— Quem é Pi?

Early desviou os olhos dos números e os cravou em mim, como se eu é que deveria estar usando uma camisa de força. Não, acho que o olhar era mais para decidir se podia confiar em mim.

Ele franziu a testa e parou, o giz ainda na sua mão. Finalmente, pegou o apagador e, apoiado na ponta dos pés, limpou as centenas de números escritos em linhas retas na lousa toda.

— É melhor se você começar do princípio. — Early segurou um giz entre os dedos finos e escreveu na lousa três números e um ponto decimal.

3,14.

Reconheci o número pi. Ou o começo dele, pelo menos. Coincidência ele ter uma lousa cheia de números quando discutíamos justamente isso na aula. Porém, minha mãe sempre disse: "Não existem coincidências. Só milagres, e aos montes".

— Eu ouvi o que ele disse. — A voz de Early ficou um pouco mais alta. — Conversa de doido.

— Como você sabe? As pessoas também diziam que era loucura afirmar que a Terra não era plana ou que ela se movia em torno do Sol, não o contrário. — Não consegui resistir: — Deve ter gente que acha loucura dizer que não existem cascavéis no Maine.

— Não! — Early fechou as mãos junto do corpo. — Não é assim, porque a Terra *não* é plana e ela *gira* em torno do Sol. E — ele bufou — *existem* cascavéis no Maine!

— E o pi é só um número. — Era o que eu pensava, ao menos.

Early circulou o número um.

— Este é Pi. E os outros números são a história dele. A história de Pi começa com uma família. Três é a mãe. Ela é bonita e bondosa, e o leva sempre no coração. Quatro é o pai. Ele é forte e bom. E aqui — Early apontou o número um no meio — está Pi. A mãe deu a ele o nome de Polaris, mas disse que ele teria que conquistar seu nome.

43

O ASTRÔNOMO
•······• *A história de Pi* •······•

Antes de as estrelas terem nomes, antes de os homens saberem como usá-las para traçar seus caminhos, antes de alguém se aventurar além do próprio horizonte, existia um menino que se perguntava o que havia além de tudo aquilo. Ele olhava para as estrelas com admiração e fascínio, mas o fascínio não era consequência só da veneração. Era fruto também de uma pergunta: por quê?

A pergunta começou como uma centelha em seu peito e cresceu com o fogo que só a curiosidade de um garoto pode acender. Por que o céu é tão grande?, ele perguntava à mãe. Por que sou tão pequeno? Por que a água chega mansa à margem, só para se afastar de novo? Por que a lua muda de forma? Por que as conchas guardam o som do mar? Por quê? Por quê? Por quê?

A mãe não tinha as respostas para essas perguntas, mas sabia que um dia seu filho iria embora. E esse dia não estava tão distante quanto havia estado antes. Ela deu a ele o nome de Polaris, um grande nome para seu menininho, e por ora ainda o chamava de Pi. Mas os dias passaram. A lua mudava de forma, e o oceano lambia a praia e recuava muitas e muitas vezes.

Um dia, quando eu for grande, ele pensava, *vou pôr meu barco na água e seguir a maré quando ela recuar. Então saberei por quê.*

E o menino cresceu.

Um dia, ele procurou a mãe, e ela soube. Os dois choraram suas lágrimas, embora não fossem as mesmas. As dele eram jovens e eufóricas. As dela velhas e cheias de história. Ela havia feito um colar de conchas para o filho, para ele poder ouvir sempre o som do mar lambendo a praia de casa.

— Como vou achar o caminho? — perguntou ele quando se preparava para partir.

— Olhe para as estrelas — disse a mãe, afagando seus cabelos. — Elas vão guiá-lo.

O menino e a mãe olharam para as estrelas como faziam quando ele era pequeno.

— Lembra-se daquelas? — Ele apontou para um grupo que parecia um caranguejo. E para outro que parecia um caçador. — Quais devem me guiar?

A mãe encarou o céu da noite.

— O que você vê? — perguntou ela.

— Aquela. — Ele apontou para uma estrela brilhante. — Aquela... no pequeno urso. Está sempre lá.

— Vamos dar um nome àquela estrela, e ela guiará você. E eu saberei que nós dois podemos vê-la. — A mãe apontou a estrela no pequeno urso. — Aquela estrela será minha Polaris. Mas — ela indicou uma constelação mais abrangente — o ursinho tem mãe. A Ursa Maior. — A mãe de Pi olhou para o mar. — E o amor de uma mãe é forte. A Ursa Maior olhará por você.

Finalmente, Pi partiu acenando enquanto a distância crescia entre eles. Então a mãe o chamou. Ele havia esquecido o colar de conchas.

— Tarde demais — Pi respondeu, já bem longe da praia. — Eu pego quando voltar.

Ela viu o filho tornar-se o primeiro a seguir as perguntas que queimavam em seu peito e partir guiado pela luz das estrelas. Seu Polaris seria o primeiro navegador. Mas Pi ainda não merecia seu nome.

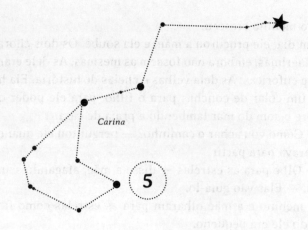
Carina

5

Early continuou escrevendo números no quadro-negro enquanto contava a história de Pi, mas a conversa sobre as estrelas me levou de volta ao único lugar onde eu não queria estar: o riacho perto da nossa casa, com o sol de fim de tarde dançando na água. Depois da expedição de sobrevivência.

— Vem, Jackie — disse minha mãe, tentando me animar.
— Vamos jogar pedras no lago. Quero ver se você consegue fazer uma pedra dar quatro saltos.
— Não, eu posso me perder — resmunguei.
— Ah, você só ficou um pouco confuso. Na próxima vez, vai encontrar seu caminho.
— Duvido — respondi. — Sou capaz de identificar cada constelação no céu, mas é só colocar umas nuvens na frente que eu me perco. Muito útil ficar observando as estrelas.

Minha mãe levantou a cabeça e olhou para o céu.

— Acho que você está se precipitando, Jackie. Isso é como esperar que uma mocinha lave sua roupa antes mesmo de olhar nos belos olhos dela.

Eu a encarei, confuso.

— Está passando para a parte da navegação cedo demais. Talvez deva se concentrar na beleza daquelas estrelas lá em cima, em vez de pensar só na função delas. Olhe para elas, admire-as, deixe que o fascinem, antes de esperar que elas o guiem. Além do mais, quem pode dizer que um grupo de estrelas tem que ser sempre igual? Aquelas estrelas lá em cima são atraídas umas pelas outras de muitas maneiras diferentes. Conectam-se de formas inesperadas, como as pessoas. Quem poderia imaginar que seu pai e eu formaríamos um casal? Eu, uma garota do interior do Kansas, e ele, um homem da Marinha voltando da Costa Leste. — Minha mãe sorria enquanto contava a história, embora eu já a tivesse escutado de ambos ao longo dos anos.

Minha mãe conheceu meu pai por acaso. Ele havia passado um tempo na Califórnia e voltava para o leste para cumprir os últimos dois anos na Academia Naval, quando o trem em que viajava teve que parar para alguns reparos na cidade onde minha mãe morava. Ele desembarcou para esticar as pernas exatamente quando minha mãe ia entregar um bolo na casa dos Granby, que comemoravam a chegada de um bebê.

Meu pai perguntou:

— O que um sujeito tem que fazer para ganhar um bolo como esse?

— Acho que precisa ter um bebê — disse minha mãe "com um sorriso de parar o baile", segundo papai.

Meu pai respondeu com um "sorriso de fazer sonhar", minha mãe dizia. "E foi assim que aconteceu", os dois concluíam. Ele a acompanhou até a fazenda dos Granby, se ofereceu para carregar o bolo, perdeu o trem, e eles se casaram no mês seguinte.

Meu pai desistiu da carreira militar, o que não agradou muito ao meu avô, John Baker Primeiro, e trabalhou como um fazendeiro durante meus primeiros nove anos de vida. Então, Hitler começou a bombardear a Inglaterra, os japoneses bombardearam Pearl Harbor e a confusão toda explodiu. Ele voltou à Marinha e zarpou ainda naquele ano, antes do Natal. Meu pai me deixou no comando, me deu o seu anel de navegador e disse: "Cuide da sua mãe". Não voltei a vê-lo até ela morrer.

— Somos parte da mesma constelação, seu pai e eu — ela dissera naquele dia. — Só que ela não está em nenhum livro.

— É uma boa história, mãe, mas não vai me ajudar a andar pelos bosques sem me perder — respondi.

— Às vezes, é melhor não ver todo o caminho que se estende diante de você. Deixe a vida surpreendê-lo, Jackie. Há mais estrelas por aí do que as que já têm nome. E todas são lindas.

— Ouvir minha mãe era como ler poesia. Eu tinha que alargar a mente para entender o que ela queria dizer. E mesmo quando entendia, de vez em quando eu tentava resistir, não absorver o significado.

Aos poucos, percebi que o barulho do giz na lousa havia cessado, deixando apenas o ruído branco do disco na vitrola. Sentado no chão com as costas apoiadas a um arquivo, devo ter cochilado. Olhei para cima e vi a lousa cheia de números enfileirados depois do 3,14. Os números que, segundo Early, eram a mãe, o pai e o filho deles, Pi.

Eu realmente ouvi essa história ou apenas a sonhei? De qualquer maneira, era uma ideia boba a de que esses números revelavam uma narrativa. E Early, o mais estranho dos garotos, agora estava sentado em sua cama estreita ao lado da vitrola, mas, em vez de olhar para o prato girando, ele se ocupava amarrando uma corda com um nó complicado, tão compenetrado na tarefa que era como se aquela corda e seus nós também tivessem uma história fascinante para contar.

— Ah, desculpa — falei, pigarreando para limpar a garganta. — Devo ter cochilado.

— Tudo bem — Early respondeu sem levantar a cabeça. — Os números seguintes não são tão bons quanto os do começo. Pi navega em mar aberto por um tempo antes de acontecer mais alguma coisa. Acho que você não ia gostar dessa parte.

— Certo. Bom, obrigado pelas roupas. Acho melhor eu voltar para o dormitório.

Early estava distraído demais com a corda e o nó para perceber minha saída.

Não voltei a ver Early por uma semana. Não que o tivesse procurado. Minha mãe não teria ficado feliz com isso. Ela tinha mania de me aproximar de todos os desajustados e recém-chegados. "Jack ia adorar se você fosse lá brincar com ele", dizia, mesmo sem nunca ter ouvido nada parecido de mim. Na minha festa de aniversário de dez anos, ela disse que eu podia convidar seis meninos para ir ao boliche. Mas acabaram sendo sete, porque Melvin Trumboldt se mudara para a cidade havia pouco tempo e não conhecia ninguém. Discuti com ela por isso, porque, no primeiro dia na escola, Melvin deu a descarga em todos os vasos sanitários do banheiro dos meninos, um depois do outro, e eu sabia que ele já era bem conhecido pelo diretor.

No entanto, ela me obrigou a convidá-lo mesmo assim, e descobri que Melvin não era tão ruim. Principalmente quando desistiu do nome Melvin e passou a atender por Descarga. Fui envolvido nas coisas que ele aprontava algumas vezes, mas minha mãe nunca ficou muito brava, porque foi ela quem forçou nossa amizade.

O ponto é que ela não teria ficado muito feliz comigo por não ter convidado Early para sentar conosco no almoço ou jogar bola depois da aula. Porém, ela não estava lá para cuidar de mim. Além do mais, dessa vez eu era o aluno novo, e as pessoas não estavam exatamente batendo na minha porta, me chamando para fazer alguma coisa. Pelo menos não até aquela manhã, mais ou menos às cinco horas, quando alguém começou a bater com força e persistência.

Eu ainda tentava acordar de um sono pesado quando as batidas passaram para a porta seguinte, depois para a outra.

— Vamos, cavalheiros. Toque da alvorada — gritou uma voz de adulto.

Olhei para fora pela fresta da porta. Era o sr. Blane, o professor de matemática. Era dia de aula, mas ninguém tinha falado nada sobre uma aula de matemática às cinco da manhã. Ele vestia calça de moletom cinza e um casaco de moletom com capuz e o logotipo da Morton Hill no peito, com a palavra "Equipe" embaixo. Estava tirando os alunos da cama para nos fazer trabalhar na cozinha? Ou limpar o banheiro?

Nessa hora, Sam Feeney apareceu na porta do quarto dele e olhou para fora com os olhos vermelhos de sono.

— Ei, que barulho é esse, sr. Blane?

— Hora de enfrentar o desafio, sr. Feeney. É o barulho da disciplina e da força. Hora de trabalhar em equipe.

— Sério? —resmungou Sam. — Porque no meu relógio são cinco horas da manhã e ainda *falta uma e hora e meia* para o despertador tocar. — Ele se espreguiçou, bocejou e continuou: — O que significa que vou *voltar* para a cama.

— O tempo não espera por homem algum, Feeney. Vista-se.

Saí do quarto vestindo meu moletom da Morton Hill e desci a escada com passos pesados. Deixei o prédio e descobri que era o último dos alunos do oitavo ano a alcançar a fila que caminhava em direção à tranquila enseada chamada Wabenaki Bay. Quando chegamos à água, os barcos estavam todos cheios, com grupos de dois ou quatro garotos por barco. Os botes reluzentes tinham nomes pintados na lateral do casco, coisas como *Torpedo*, *Jerry Runner* e *Spoiler*.

Quando pisei no deque balançante, o único barco que restava era um bem velho chamado *Sweetie Pie*. Torta Doce.

— Todos a bordo, sr. Baker. — O sr. Blane estendeu a mão com um floreio, como se o *Sweetie Pie* fosse o capitânia de uma magnífica frota de embarcações a remo e não a porcaria destruída e velha que parecia ser.

— Esse é o meu barco? — perguntei.

— Sim. Sei que parece meio gasto, mas é um duplo — falou ele antes de continuar pelo deque.

— Um *duplo*? — repeti. Olhei para o barco e vi os dois assentos. Meu rosto devia ser a imagem da confusão.

— Você não sabe de nada? — perguntou Robbie Dean. — Seu barco é um duplo, ou seja, é para duas pessoas. Mas você foi o último a chegar, então, vai ter que remar sozinho. — Ele assumiu a posição no remo do seu barco, que era mais novo e, obviamente, projetado para uma pessoa só.

— Mas o que isso significa?

— Que ele também é rápido e fácil de manobrar.

— Rápido, fácil de manobrar — repeti. — Entendi.

— Lembrem-se de que isto não é uma corrida — disse o sr. Blane. — Estamos só tentando fazer o trabalho das pernas. Vamos lá, zarpem e mostrem com o que teremos que trabalhar.

Um a um, os barcos foram deixando o cais. A maioria era remada por duplas. Robbie Dean e Sam se afastaram a bordo do *Jerry Runner*, enquanto Preston Towsend era o único, além de mim, que remava sozinho o *Spoiler*. Eu os vi deslizando pela água, velozes como flechas, os corpos se movendo para frente e para trás, as pernas dando impulso, os braços movendo os remos, os movimentos coordenados e fluidos.

— Sr. Baker. Vamos ver como se sai. Sabe remar, não sabe?

— É claro — respondi. *Não pode ser tão difícil*, pensei. Meus braços e minhas pernas eram fortes da natação e de pedalar a bicicleta, apesar de eu não ter feito nada disso depois de tudo que aconteceu com a minha mãe. Embarquei e tentei me posicionar no assento, esperando alcançar os outros barcos.

— Pare de brincar, Baker! — gritou o sr. Blane. — Vire e comece a navegar!

Virar? Levantei a cabeça esperando que o sr. Blane me arrancasse da água e me pusesse na turma de iniciantes na aula de remo com as crianças do sexto ano. Mas ele estudava sua prancheta e parecia mesmo acreditar que minha confusão era brincadeira. Eu *de fato* dissera a ele que sabia remar, mas não esperava que o professor acreditasse em mim.

Outro menino revirou os olhos.

— Você não fica virado de frente. Veja como eles remam. O certo é ficar de costas.

De costas?

Virei. Desta vez meus pés encontraram o lugar, e eu comecei a remar — de costas. Sem ver para onde ia. Mas a enseada era grande. Não havia nada em que eu pudesse bater. Inclinei o corpo para frente até onde era possível e puxei os remos com força. Minha mãe sempre disse que eu era forte como um touro. E um touro devia ser mais forte que tudo que eles tinham por ali, como lagosta e camarão. *Vai dar tudo certo*, falei para mim mesmo.

Meu coração começou a bater mais forte, e nas primeiras remadas, senti a excitação de deslizar sobre a água. Até perceber que estava saindo do curso. Tentei puxar o remo esquerdo com um pouco mais de força e saí ainda mais do curso. *Deve ser o remo direito.* Puxei com força. Rápido. Fácil de manobrar. *Este barco não é rápido para nada além de sair do curso.*

Aos poucos, voltei a navegar para o centro da enseada. *Ah, não.* Desviando para o outro lado. E assim foi. Desviando para cá, desviando para lá. Eu me movia em zigue-zague pela baía. Quando fiz uma curva aberta para voltar, vi que a maioria dos barcos já estava no deque. Bom, eu ainda podia fazer uma chegada forte. "Não é vergonha ser o último, desde que não chegue de cabeça baixa e com o rabo entre as pernas." Três chances para adivinhar quem disse isso.

Eu já conseguia ver o deque, ou enxergava tanto quanto era possível, tendo que olhar por cima do meu ombro esquerdo para isso. Os outros barcos já estavam fora da água. O que devia ter sido um exercício de vinte e cinco minutos para os outros garotos levava o dobro do tempo para mim. Os remadores esperavam no deque, assistindo à minha chegada. Meus ombros e minhas costas doíam, e minhas pernas tremiam violentamente cada vez que eu as flexionava e distendia para dar impulso. Até minhas mãos estavam apertadas, segurando os remos com tanta força que eu achava que não conseguiria mais soltá-los. Mas eu chegaria, e isso iria acabar.

Já estava ensaiando meu discurso de encerramento. *Levei um tempo para entender o barco, mas ele é rápido e fácil de manobrar, com certeza.*

Finalmente, levei o *Sweetie Pie* para o deque com um barulho que lembrava um gato fazendo uma caçada noturna. Preston, Sam, Robbie Dean e os outros acompanhavam tudo com caretas de sofrimento, esperando o barco e o barulho pararem. Fiquei em pé e senti o maldito do *Sweetie Pie* balançar para a esquerda, depois para a direita e, antes que eu pudesse dizer Jack Tar, caí na água de Wabenaki Bay.

Ouvi algumas risadas e vi cabeças balançando quando os garotos levantaram os outros barcos sobre os ombros e os levaram para o abrigo. Não tive pressa para sair da água, não queria alcançá-los. O sr. Blane estendeu as mãos e me ajudou.

— Está tudo bem, Baker. Acho que você não é tão experiente com os remos quanto deu a impressão de ser. Vamos trabalhar nisso na próxima vez.

Próxima vez. Foi exatamente a mesma coisa que o treinador Baynard falou depois do incidente na piscina. Foi o que minha mãe disse sobre minha expedição de sobrevivência. Quantas "próximas vezes" seriam necessárias?

— Venha me ajudar a tirar o barco da água — pediu o sr. Blane. Levantei o barco, mas não sabia o quanto estava ajudando. — Tenho certeza de que um dos meninos vai auxiliá-lo a levar o barco para o estaleiro. Tenho uma reunião de professores em poucos minutos. — Ele bateu nas minhas costas. — Da próxima vez vai ser mais fácil. Vejo você na aula de matemática, Baker. — O sr. Blane se afastou com passos rápidos.

— Sim, senhor — respondi, feliz por ficar sozinho. Estava pingando e tremendo como um dos gatos velhos no nosso celeiro, olhando feio para a origem da minha desgraça. O *Sweetie Pie*. Chutei o barco, que tombou sobre a lateral velha.

Ah, sim, muito rápido, se é que alguém chama de rápido uma coisa instável, que tomba com facilidade e joga o remador na água.

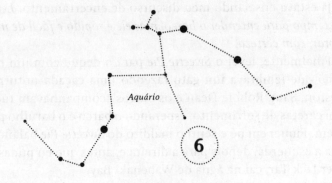

Aquário

6

Li em algum lugar, provavelmente na revista *National Geographic*, que é possível saber muito sobre as pessoas pelo que elas idolatram. Acho que cada lugar tem seus templos. Na minha cidade, a igreja é o centro de tudo: bazares, batizados, casamentos, leilões, bingo. Na minha antiga escola, o campo de beisebol era nosso altar. As pessoas da cidade enchiam as arquibancadas e torciam pela vitória. Nós, os jogadores, conhecíamos toda as escrituras do evangelho do beisebol e todos os santos padroeiros: Babe Ruth, Lou Gehrig, Ty Cobb e Joe DiMaggio.

No momento em que pisei no estaleiro, soube que aquele era o altar da Morton Hill. De acordo com o diretor Conrady, o Recanto, como era chamado, era o prédio mais antigo do campus. Dentro dele havia sólidas vigas de madeira, armadilhas para lagosta, rolos de corda e uma colorida variedade de remos. O cheiro de cera de limão, lustra-móveis e vinagre de cidra era tão forte quanto qualquer incenso que eu já houvesse cheirado. Porém, eram os barcos, brilhantes e elevados como altares, que dominavam o palco ali.

Prendi a respiração, esperando ver o céu se abrir e anjos começarem a cantar enquanto caminhava quase em procissão até um barco chamado *Maine*. Ele estava no centro e parecia receber as maiores honras do lugar. Estendi a mão, pensando que, se esfregasse o barco como uma lâmpada mágica, meu pedido seria atendido. Meus dedos tocaram a madeira, e pensei no que pedir. Devia ser fácil, não? Todo mundo tem um pedido especial. Refleti mais um pouco. É claro, podia desejar que minha mãe não estivesse morta. Podia pedir para meu pai não estar na Marinha. Podia bater os calcanhares três vezes e desejar estar de volta ao Kansas. No entanto, eu sabia que nenhum desses pedidos se realizaria.

Deixei escapar um suspiro derrotado e percebi que não sabia nem o que desejar. Olhei para o *Sweetie Pie* com desdém. A estrutura cansada e os remos meio rachados do barco pareciam refletir o meu próprio estado lamentável. Eu era teimoso demais para pedir ajuda aos outros garotos, por isso tive que puxar, empurrar e arrastar o barco até o estaleiro sozinho.

Pressionei a madeira sólida do *Maine* e suspirei outra vez. Era um pedido pequeno, e eu tinha consciência de que ele não era muito importante no panorama geral. Mas era tudo de que eu me sentia capaz.

Queria ter um barco melhor.

Ouvi um barulho e tirei a mão do barco. Escutei um ruído no canto, um farfalhar. Espiei além de outra embarcação, e lá estava Early Auden. O que aquele garoto era? Uma espécie de gênio de segunda? De costas para mim, ele falava como se me encarasse.

— Sua remada entorta. — Ele pegou uma lata de cera e tirou dela uma porção. — Você é canhoto e puxa com mais força do lado esquerdo. Por isso a remada entorta.

— É mesmo? — perguntei, e o encanto do estaleiro se quebrou. Fui procurar a prateleira ou os ganchos do *Sweetie Pie*, ou seja lá qual nome elegante davam para isso, já que ali eles tinham uma palavra diferente para tudo. Provavelmente, devia ficar em algum canto escondido, fora do caminho, onde não seria motivo de constrangimento para os outros barcos. E, é claro, havia um lugar vazio ao lado da bancada de trabalho onde Early Auden misturava um pouco de mel à cera.

— Seu corpo é duro e os ombros ficam muito tensos. Você trabalha contra o barco, em vez de trabalhar com ele.

— Ah. — Levantei uma ponta do *Sweetie Pie* antes de Early me ajudar com o outro lado. Ele não era muito forte, por isso foi difícil içar o barco até a prateleira.

— E você é muito mole.

— Que ótimo. — Pus o barco no lugar com um estrondo. — Na próxima vez, apareça e me dê as instruções enquanto a coisa acontece.

— Tudo bem — Early respondeu. — Mas vamos esperar alguns dias. Amanhã você vai sentir muita dor. Ainda vai andar de um jeito engraçado, mas isto aqui pode ajudar. — Ele guardou várias porções da mistura de cera, vinagre e mel em um pote.

— O quê? Não, não quis dizer...

— Estenda os braços. Assim. — Ele puxou meus braços para os lados formando um T, depois pegou uma fita métrica de uma gaveta e começou a tomar medidas. Os braços abertos, altura, as pernas. — Você é alto. E seus remos são muito curtos.

Early me deu um par de remos de madeira brilhante com pás pintadas em cores vivas.

Certo. Os remos eram curtos. Entendi. Mas, àquela altura, eu não me importava.

— Precisa de remos mais longos para ter uma amplitude maior de remada.

— Escute, agradeço por tudo, mas... não quis dizer que realmente queria... O que estou tentando dizer é que não preciso da sua ajuda.

Early sorriu.

— Foi o que *ele* falou.

— Quem falou isso?
— Pi. Lembra-se da parte que contei, quando ele começou a viagem? Lembra-se disso, Jackie?

Foi como se uma onda de água gelada atingisse meu rosto, e descobri que estava prendendo a respiração. Minha mãe era a única que me chamava de Jackie.

— Ele queria partir. Ser o primeiro navegador. Mas o começo também não foi fácil para ele.

Senti minha mandíbula endurecer.

— É, lembro. Mas não quero ouvir outra história sobre números agora. E meu nome é Jack.

— Jack Baker. Conheço você. Veio do Kansas. Não tem barcos no Kansas?

— É claro que tem barcos no Kansas. Mas são usados para pescar, não para ficar remando em círculos. Além do mais, o barco que sobrou para mim é torto, instável, feio e deixa entrar água. E tem um nome idiota. Que tipo de nome é *Sweetie Pie*? Fiquei surpreso por não ter uma boca pintada de batom desenhada no casco.

Parei para respirar depois da explosão.

Early falou:

— Se não gosta do barco, é só desarrumá-lo e arrumá-lo de novo.

Continuei de costas para Early. Não queria a ajuda dele. Não queria os conselhos dele. O que Early sabia, afinal? Era só um garoto esquisito que ninguém ouvia.

Porém, lembrei o que minha mãe disse sobre o carrinho de corrida de caixa de sabão que eu havia deixado na chuva. As mesmas palavras que Early usara. "Se não gosta, desarrume e arrume de novo."

Então virei, mas Early tinha desaparecido. Restava só o pote de mistura de cera. Meus músculos já começavam a enrijecer, mas eu não precisava da ajuda dele, então voltei ao dormitório para me arrumar para as aulas e deixei o pote onde estava.

Acordei na manhã seguinte e quase não consegui sair da cama. Os músculos dos braços, dos ombros, das costas e das pernas doíam como se eu tivesse feito a Trilha Apalache inteira, atravessado a nado o Canal da Mancha e sido atropelado por um ônibus. Até abrir os olhos era dolorido. Mas abri, e foi então que vi o pote de unguento cor de mel em cima da minha escrivaninha.

Sentei na cama e andei com dificuldade pelo piso de ladrilhos frios até a mesa onde ele estava. Cheguei até lá, mas abrir o pote seria outra conversa. Minhas mãos haviam apertado com tanta força os remos desencontrados do *Sweetie Pie* durante minha travessia em zigue-zague no dia anterior, que me lembrei das mãos artríticas do meu avô Henry e pensei que era assim que ele devia se sentir. Mas segurei a tampa e a girei.

O cheiro era estranho. Começava com mel, depois se transformava em uma fragrância forte de vinagre e mentol. Tampei o pote depressa para não deixar o odor se espalhar. Depois de uma dolorosa e desajeitada visita ao banheiro, voltei ao quarto e pensei se deveria usar ou não a preparação de Early. Razões para usá-la: ele disse que eu ainda andaria de um jeito esquisito, mas que me sentiria melhor. Além disso, o cheiro manteria os vampiros afastados. Razões para não usar: eu ficaria cheirando mal, e o cheiro manteria todo mundo afastado.

Porém, depois do incidente na piscina e da última vergonha que passei tentando remar o *Sweetie Pie*, não esperava que muitos colegas me chamassem para sentar com eles no almoço. Assim, enfiei os dedos no pote e espalhei a mistura sobre as áreas doloridas: praticamente meu corpo todo. Depois vesti a calça cáqui e a camisa xadrez azul e saí do quarto para ir enfrentar as fungadas e as caretas dos alunos da Morton Hill.

Semper Fi.

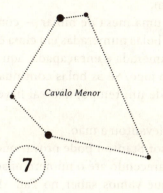

Cavalo Menor

7

Quando cheguei na aula de matemática, os meninos se distanciavam de mim. Fui para a última fileira de carteiras e tirei o livro da mochila.

Depois de uma aula sobre triângulos congruentes, durante a qual me esforcei muito para manter os olhos abertos, Sam Feeney levantou a mão.

— Sr. Blane, li um artigo sobre aquele professor que o senhor mencionou e a teoria do pi finito. Ele vai apresentar essa ideia no Fall Mathematical Institute, em Boston. Como acha que ele vai demonstrar que o pi termina?

— Bom, eu também li muito sobre isso, e a teoria se baseia em uma tendência que esse professor notou nos dígitos do pi calculados mais recentemente. No momento, sabemos que o pi tem mais de setecentos dígitos depois da vírgula. Porém, como você sabe, os matemáticos continuam calculando mais e mais números. O professor Stanton descobriu que nos últimos cem dígitos do cálculo mais recente do pi, o número um não aparece mais. Ele acredita que essa tendência se manterá e os números deixarão de surgir até que o pi entre em colapso.

Olhei em volta para ver se mais alguém estava perplexo como eu. Estavam.

— Imaginem uma mesa de bilhar — continuou o sr. Blane. — Há quinze bolas numeradas em cima da mesa. Cada vez que uma bola numerada é encaçapada, aquele número deixa de fazer parte do jogo. Se as bolas continuarem sendo encaçapadas, depois de um tempo, não vai haver mais números, e o jogo termina.

Robbie Dean levantou a mão.

— E o professor Stanton pode provar que os números vão continuar desaparecendo até o número pi acabar?

— Isso é o que vamos saber no Fall Math Institute. — Os olhos do sr. Blane brilhavam com entusiasmo. — Isso pode ser uma excelente excursão, se alguém aqui estiver interessado. O evento vai contar com matemáticos do mundo todo. Pode ser o equivalente a sir Galahad descobrindo o Santo Graal... ou, talvez, descobrindo que o Santo Graal não existe.

— E se ele estiver errado? — perguntei. — Como alguém poderia provar que a teoria está errada? — Eu não estava realmente interessado na teoria do professor Stanton e não me importava em saber se ele estava certo ou não. Mas, nas palavras da minha mãe, eu era do contra e gostava de questionar o que todo mundo aceitava com entusiasmo.

— O nome disso seria prova por contradição. Alguém teria que encontrar um dos números que devia ter desaparecido. Seria como encontrar uma das bolas de bilhar que saíram do jogo. Se for possível demonstrar que um número que havia sumido voltou a aparecer, a teoria do professor Stanton será contradita e considerada inválida.

Houve uma agitação na sala enquanto os meninos consideravam a possibilidade. Em seguida, o sinal soou.

— Dispensados, senhores.

Eu não imaginava que a revelação do sr. Blane causaria tanta discussão, mas naquela noite, mais tarde, no dormitório, alguns garotos se reuniram no quarto de Sam e Robbie Dean, relaxando em uma noite de sexta-feira. Não começou como uma discussão sobre o pi, é verdade, mas como um evento para comer torta. A mãe de Robbie Dean havia mandado para ele uma torta de maçã para dividir com os amigos, e houve muita discussão sobre o tamanho da fatia que cada garoto devia comer.

Pela conversa que ouvi do meu quarto, vizinho ao deles, graças à ventilação comum aos dois cômodos, deduzi que Sam insistia em ficar com o pedaço maior porque havia mais dele para alimentar. Robbie Dean respondeu que a mãe queria que ele dividisse fatias, não porções enormes. E Preston Towsend afirmou que sempre foi o favorito da mãe de Robbie Dean, e tinha certeza de que ela ia gostar de saber que ele comeu uma porção generosa.

Fiquei sentado lendo um número da *National Geographic* sobre Machu Picchu, tentando me convencer de que preferia ter um quarto só para mim e de que gostava do silêncio. Mas os barulhos do quarto ao lado, a comida, a conversa, as piadas, tudo compunha uma pesada prova por contradição de que eu estava me enganando. Eu me sentia sozinho.

— Pena que essa torta não seja infinita — disse Preston. — O que será que o professor Sei-Lá-Que-Nome teria a dizer sobre isso? Aquele cara que acredita que o pi acaba. Stanford? Sanbridge?

Foi quando me chamaram.

— Ei, Baker! — gritou Sam. — Deixa sua *National Geographic* de lado e venha aqui.

Fechei a revista e a empurrei para baixo do travesseiro, tentando entender como ele sabia o que eu estava lendo. Era verdade que, ultimamente, eu dedicava a maior parte do meu tempo livre a enfiar o nariz em uma *National Geographic*, então era um palpite seguro. Abri a porta do quarto ao lado e enfiei a cabeça na fresta, tentando parecer casual e desinteressado.

— Douglas Stanton — falei, revelando, assim, que havia escutado a conversa. Olhei em volta e vi que o quarto era idêntico ao meu, com duas camas, dois armários, uma pia e uma escrivaninha. Mas as colchas eram vermelhas, havia quadros na parede e, respirei fundo, cheirava a torta de maçã.

— É, bom, se ele for como sir Galahad, então eu sou tio de um macaco — disse Preston. — Não há muitas pessoas que eu colocaria na mesma categoria que *ele*. O que vocês acham?

— Robin Hood — disse Sam.

— Os Três Mosqueteiros — sugeriu Robbie Dean. — Quatro, se contar D'Artagnan.

Os três olharam para mim.

— E você, Baker?

— Não sei. Acho que prefiro escolher alguém de verdade, não um personagem de livro.

— Ah, bom, assim fica fácil — disse Sam.

Os três falaram o nome ao mesmo tempo.

— Fish.

Eu sabia que ia parecer idiota, mas perguntei assim mesmo.

— Quem é Fish?

Os três se entreolharam, confirmando que eu era um idiota e um forasteiro. Robbie Dean se encarregou de explicar.

— Fish, o número 67, turma de 1943. Apenas o maior atleta que já andou pelos corredores da Morton Hill.

Número 67. O garoto da estante de troféus.

— Eles aposentaram o número, e o barco no Recanto é o que ele usava — acrescentou Sam.

Meus olhos se arregalaram com a incredulidade.

— Aquele azul? O *Maine*?

— Esse mesmo — confirmou Robbie Dean. — Naquele ano, nós estávamos na sexta série. Ele era o máximo no futebol americano, na corrida e no remo. Mas tudo isso fica pequeno perto do que fez na corrida com obstáculos.

Prendi a respiração sabendo que eu ia parecer um pouco pior na opinião deles.

— Corrida com obstáculos?

Dessa vez eles reviraram os olhos e gemeram. Preston falou:

— Pelo amor de Deus, Baker, embaixo de que pedra você estava morando? Ah, é, você veio do Kansas. — Ele falava como se o Kansas ficasse em uma região tribal remota habitada por nativos analfabetos como os retratados pelas minhas revistas *National Geographic*. — Feche a porta — Preston ordenou. Eu obedeci e me arrependi na mesma hora. — Caramba, Baker. Que cheiro de armário de remédio!

— Desculpa, é uma loção para músculos doloridos — expliquei, deixando o nome de Early fora da confusão.

Os meninos se inclinaram para frente de um jeito sigiloso quando Robbie Dean se preparou para me livrar da ignorância.

— A corrida com obstáculos era uma competição que se tornou um evento anual entre os alunos do último ano. O nome foi herdado das corridas de cavalos que começaram na Irlanda e na Inglaterra, em que os cavalos corriam de uma igreja à outra pulando cercas, valas, riachos e tudo que encontravam no caminho.

— Seria muito difícil usar cavalos aqui — Sam continuou de onde Robbie Dean havia parado —, porque não temos nenhum. Mas a ideia é a mesma. Você começa na capela, corre para o Tronco do Dinossau...

Robbie Dean deu um tapa na cabeça dele.

— Não é para contar o itinerário, idiota.

— Se é um evento anual, por que o itinerário é tão secreto? — perguntei.

— Porque eles acabaram com a corrida depois que Philip Attwater escorregou no Tronco do Dinossauro e quase quebrou o pescoço — contou Preston.

— É, ele estragou tudo — resmungou Sam. — É por isso que sempre que alguém estraga alguma coisa legal para todo mundo, nós dizemos: "Boa, garoto, você deixaria Attwater orgulhoso".

Robbie Dean falou:

— Devíamos ter dito isso a Sam quando ele comeu sobremesa demais no almoço e vomitou. Agora é só uma para cada um.

— Não foi culpa minha — Sam se defendeu. — O treinador nos fez correr na aula da educação física depois do almoço e...

— Sei, sei, tenho certeza de que ele pediu desculpas depois de você botar para fora três porções de torta de cereja nos sapatos dele.

— Mas e esse Fish? Ele não voltou? Acham que ele ainda pode disputar a corrida com obstáculos?

Os meninos mergulharam em um silêncio estranho.

— Não, ele nunca voltou — respondeu Robbie Dean sem nenhuma nota de prepotência na voz. — Depois da formatura, ele se alistou. Morreu na França. Todo o batalhão dele foi morto.

Ninguém disse mais nada depois disso, mas o silêncio e os olhares estranhos que eles trocavam deixavam claro que preferiam não ter a imagem de estrela do Fish arruinada por um forasteiro que os obrigava a ver sua lenda fora da estante de troféus.

E ninguém parecia querer mais torta.

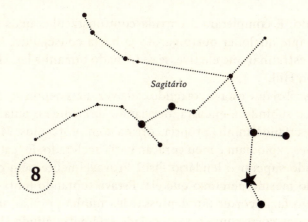

Sagitário

8

Devo ter caído num sono profundo, porque acordei horas mais tarde com a primeira luz do amanhecer de um sábado enevoado. Meu corpo ainda doía da primeira experiência com os remos, mas eu sentia necessidade de me levantar e me mexer.

Sem saber realmente aonde ia ou o que faria, vesti o moletom e saí para a neblina, primeiro andando e depois correndo. O ar era úmido, e eu sentia gotas de suor no rosto e no pescoço. O mundo à minha volta estava cinza e quieto. Estabeleci um ritmo para a corrida. E deixei meus pensamentos correrem também.

Corrida com obstáculos. Aquilo me lembrava dos marcos onde eu morava. A torre da igreja, o moinho, o silo, o elevador de grãos. Todos podiam ser vistos a quilômetros de distância. Lá, eu sempre sabia onde estava. Mas o nome da coisa capturava minha imaginação. "Corrida com obstáculos". Parecia uma espécie de cruzada, como a busca do Santo Graal, o corredor indo de obstáculo em obstáculo, superando todos eles ao longo do caminho.

E Fish. Pelo jeito como aqueles garotos falavam, ele devia ser como o próprio sir Galahad: corajoso, aventureiro, honrado. E completara a corrida com obstáculos mais depressa que qualquer outro garoto já havia conseguido. Não era de estranhar que ele tivesse se tornado tamanha lenda na Morton Hill.

Descobri que estava correndo cada vez mais depressa, descendo e subindo a encosta, desviando de pedras e pulando cercas, criando minha própria corrida com obstáculos. Meus pulmões explodiam e meu coração batia acelerado. Eu estava tentando superar o lendário Fish? Provavelmente nem corria pelo mesmo percurso que ele. Estava tentando imitá-lo? O que o fazia correr tão depressa? Na minha opinião, uma pessoa que corre com essa velocidade está perseguindo alguma coisa ou fugindo dela. O que Fish fazia? E eu?

Então vi o tronco. Entendi por que o chamavam de Tronco do Dinossauro. Parecia um brontossauro de pescoço comprido esticado sobre aquela cachoeira e as pedras lá embaixo. Sam havia deixado escapar que o tronco fazia parte da corrida com obstáculos. Parei, e minha respiração saía da boca em nuvens de ar como se saísse de um dragão. Um dragão olhado de cima por um brontossauro.

Aceitei o desafio e pisei no tronco. Era escorregadio por causa da umidade e do musgo, e tinha uns seis metros de extensão. Calculei que só precisaria de alguns passos, mas o som de água corrente batendo nas pedras lá embaixo e a lembrança de Philip Attwater quase quebrando o pescoço me fizeram hesitar. No entanto, o desafio estava ali, na minha frente, e eu precisava enfrentá-lo. Fui progredindo devagar, ultrapassei o ponto de onde poderia voltar com facilidade. Mais alguns passos e cheguei à metade do caminho. Foi quando duas coisas aconteceram. Começou a chover e olhei para baixo.

A chuva caía inclinada, me molhava de lado, me forçava a mudar de posição só para continuar de pé. Eu já havia enfrentado ventos fortes no Kansas, mas não sobre um tronco escorregadio em cima de uma cachoeira. O suor abundante cobria minha pele. Só havia três caminhos a seguir: para frente, para trás ou para baixo. As pedras lá embaixo, afiadas e irregulares, provocaram um arrepio que percorreu minhas costas.

Tentando usar a razão, disse a mim mesmo que estava no meio do caminho. Mesmo que voltasse, a distância seria equivalente a percorrer todo o tronco. Mas, se eu fizesse isso, não o teria atravessado. Não era esse o propósito? Atravessá-lo? Chegar ao outro lado? Mas para quê? Não havia nada diferente lá. Só a mesma chuva, a mesma grama. E que outros obstáculos eu encontraria?

Não sei se foi o medo de cair ou o medo da travessia que me fez voltar, mas virei e voltei lentamente até descer do tronco.

Meus braços e pernas tremiam de frio e fadiga. Enfiei as mãos no bolso frontal do moletom molhado e ouvi o ruído que os meus sapatos encharcados faziam enquanto voltava ao colégio. Minha mãe costumava dizer: "Saia da chuva antes que ela lave toda a secura". Quando voltei ao campus, cada centímetro de secura havia sido lavado.

Eu sabia que o dormitório estaria cheio de meninos barulhentos acordando para o sábado. Então, segui em outra direção, esperando encontrar uma porta aberta para entrar na escola, onde eu sabia que encontraria roupas secas no meu armário.

A água quente do banho era agradável na minha pele fria e nos músculos doloridos. Deixei o banho me esquentar por vários minutos antes de vestir uma calça limpa, uma camisa de manga comprida e meias secas. Infelizmente, não tinha outros sapatos para calçar, por isso percorri o corredor até a biblioteca calçando apenas meias.

Olhei para a foto dele no moletom da Morton Hill, com o cabelo penteado para trás e aquele sorriso característico. Lembrei-me de ter sentido pena do Número 67, Fish, na última vez que estive ali. Senti pena por tudo que ele ainda teria que aprender sobre a crueldade da vida. Mas alguma coisa havia mudado. Ele estava morto. Não havia placa para lembrá-lo. Nenhuma data para dizer quando havia morrido em ação.

No entanto, essa estante de troféus não fora feita para isso. Ela fora feita apenas para trancar seus habitantes em um tempo e um lugar específicos. Para fazer quem a observava compartilhar para sempre seus dias de glória.

Fish. Era impressão minha ou seu rosto exuberante já não parecia mais tão exuberante? Onde antes senti piedade, agora sentia empatia.

Se o Recanto era o altar da escola, a estante de troféus havia se tornado uma espécie de altar para mim, um lugar para homenagear Fish, meu santo padroeiro. Lembrei que havia tocado seu barco e feito um pedido, uma espécie de oração. Porém, a única resposta que recebi foi Early apontando o remador horrível que eu era.

Que bobagem isso de pedidos e preces, pensei.

Saí da biblioteca tão quieto que, mesmo que houvesse alguém ali, nem teria percebido minha partida.

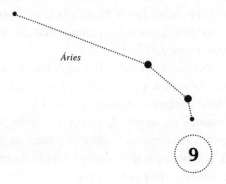

A chuva ainda caía, e eu teria que calçar meus tênis molhados para voltar ao dormitório ou tirar as meias e entrar descalço. Fiquei parado à porta, vendo a chuva desenhar rios na vidraça da porta lateral da escola, sentindo o frio dos degraus de cimento penetrar em minhas meias. Iria descalço.

Então ouvi uma voz de mulher... cantando.

Era uma voz intensa, sentida, cheia de ternura e sofrimento. Alguma coisa em mim doeu como uma articulação machucada que reclama quando o tempo fica chuvoso. A voz vinha do porão. Quando desci alguns degraus, percebi que fazia um tempo que não ouvia uma voz feminina. Ah, claro, tinha as mulheres da igreja que nos levaram comida depois da morte de minha mãe, mas elas só cochichavam palavras de solidariedade. A mulher da funerária era velha e fumava, por isso tinha uma voz mais grave que a do meu pai. E havia a Srta. T., mas ela falava com aquele tom sussurrado de bibliotecária.

Não. Cheguei mais perto. Essa voz era de um tipo diferente de mulher. Ela cantava sobre querer a lua e suplicar às estrelas. Era uma canção de sonhos e nostalgia.

Quando me aproximei um pouco mais da sala do zelador, ouvi um chiado repetitivo e percebi, desapontado, que a voz vinha de

um disco. Lembrei o que Early Auden havia dito. Ele ouvia Louis Armstrong às segundas, Frank Sinatra às quartas, Glenn Miller às sextas e Mozart aos domingos. A menos que chovesse.
Se chove, é sempre Billie Holiday.
Já tinha ouvido falar de Billie Holiday, a cantora de jazz e blues, mas nunca a ouvi cantar. A voz dela se misturava à música como melado e manteiga quente.

Fiquei parado na frente da porta, ouvindo, feliz por estar fora da chuva, e ali reconheci um cheiro familiar. Madeira. Aparas de madeira, pedaços de madeira, farpas de madeira. Inspirei profundamente. Era como o cheiro da oficina do meu pai. E meio parecido com um carrinho de caixa de sabão.

De repente, eu sabia o que Early estava fazendo. Entrei, e lá estava ele debruçado sobre o *Sweetie Pie*, que repousava sobre uma moldura de madeira. Ele havia arrancado vários trechos de tábuas empenadas e tentava desaparafusar o ajuste do assento.

Abri a boca para dizer a ele que agradecia, mas que aquilo não era necessário. Eu não estava falando sério sobre construir um barco melhor.

— O nome verdadeiro dela é Eleanora Fagan — falou Early antes que eu pudesse dizer qualquer coisa.

— Nome verdadeiro de quem? — perguntei, irritado com o jeito como ele começava a conversava, me fazendo sentir dois passos atrás.

— Billie Holiday. Fico pensando se ela mudou o nome para não ser confundida com Eleanor Roosevelt. Mas não vejo como elas poderiam ser confundidas, porque uma é branca e a outra é negra. Sabe qual delas é branca e qual é negra?

— Sim, Early, eu sei qual é qual. — Minha irritação diminuiu um pouco. Ele era esquisito, mas de um jeito engraçado.

— Além do mais, uma é cantora, a outra é primeira-dama.

— Sim, seria bem difícil confundir as duas.

A sala tinha cheiro de madeira e outras coisas de oficina, como querosene, cola e verniz. Era um lugar quente e acolhedor. Peguei um remo e deslizei um dedo pela lâmina áspera.

— Essa pá precisa ser alisada — disse Early, e me ofereceu uma lixa. É claro que não chamava simplesmente de "remo". Seria comum demais e faria muito sentido. Comecei a lixar. Havia alguma coisa tranquilizadora em ver as farpas e asperezas dando lugar a uma superfície lisa.

— Talvez seu nome verdadeiro sempre tenha sido Billie Holiday, mas ela teve que conquistá-lo. Como Pi.

Não respondi, pois não sabia se queria ouvir mais dessa história imaginária sobre números.

— Você se lembra dessa parte, Jackie? A parte em que Pi quer sair para ver o mundo e a mãe diz para ele ficar de olho nas estrelas? Lembra-se disso? Ela dá à Estrela do Norte o nome dele. Polaris. Lembra?

— Sim, lembro — respondi enquanto lixava. — Mas ele ainda não tinha conquistado seu nome.

— Isso. Então, quer ouvir o que acontece depois?

— Não. Aquele matemático que o sr. Blane conhece, o dr. Stanton... No mês que vem, ele vai apresentar sua teoria sobre o pi finito. Stanton diz que um número já desapareceu, e que o pi vai acabar finalmente.

— Pare com isso! Você não sabe do que está falando. — Early foi sentar na cama. Pegou um pote de balas de goma na prateleira, despejou-as sobre a cama e começou a separá-las por cor. Acho que era algo que ele fazia para se acalmar. Porém, depois de um tempo, ele desistiu. As mãos repousaram ao lado do corpo, o olhar se perdeu no espaço. Os olhos piscaram e tremeram algumas vezes. Eu não teria chamado aquilo de surto, mas sabia que era um daqueles ataques estranhos de que os meninos falaram. Quando eu já começava a pensar que devia ir pedir ajuda, ele se recuperou.

— Eu sei onde ele está — Early falou como se nada tivesse acontecido.

— Quem? — Eu estava confuso.

— Pi. Aquele professor diz que o pi acaba, mas eu sei onde ele está.

— Ele não está falando sobre o seu *personagem*. É o *número* que vai acabar. — Mas eu podia ver que, para Early, os dois eram a mesma coisa.

— Às vezes, é difícil encontrá-lo por um tempo, mas ele sempre volta. Eu sempre o encontro. — Early continuou separando as balas de goma em grupos de vermelhas, laranja, amarelas, verdes, azuis.

A voz de Billie Holiday desapareceu por alguns segundos, entre uma música que terminava e outra que começava. Early devolveu as balas ao pote, depois virou a lousa e revelou fileiras de números.

— Olha, é bem aqui que ele entra no barco. Esses números, vê como eles parecem ondular, que nem o oceano? ...3285345768...

— Não, não parecem ondular. São só números. E você está inventando uma história com eles. Entendi. É bem criativo.

Early fechou as mãos de novo.

— Não são só números. E não estou inventando uma história. A história *está* nos números. Olhe para eles! Os números têm cores... azul do oceano e do céu, grama verde, um sol amarelo e brilhante. Os números têm textura e paisagem, montanhas, ondas, areia e tempestades. E palavras... sobre Pi e sua jornada. Os *números* contam uma história. E você não merece ouvi-la.

Early ergueu a agulha do toca-discos, interrompendo Billie Holiday no meio de uma canção cheia de sentimento. Ele a abaixou no espaço vazio onde a agulha só produzia um chiado e sentou na cama de costas para mim.

Olhei para as costas dele por um minuto. Era verdade. Provavelmente, eu não merecia ouvir a história. Mas não queria voltar para o dormitório, e o ruído solitário da agulha no espaço vazio do disco fazia meu coração doer como se eu estivesse remando forte há muito tempo.

— Então, esses números... os que ondulam. O que eles dizem?

Early não se virou. A voz dele era baixa.

— É aí que o mar fica agitado.

ESTUDANTE DO OCEANO
•····• *A história de Pi* •····•

O jovem navegador havia zarpado com a luz das estrelas. Mas logo elas foram encobertas por nuvens, e o mar ficou agitado.
 Pi havia passado a vida toda perto do mar e o conhecia bem. Conhecia seus humores e caprichos. Suas marés e cheias. O som das ondas brincalhonas lambendo a areia da praia, e também o das ondas quebrando contra as pedras. O sal e a maresia haviam penetrado cada poro da sua pele. Ele conhecia o mar. Ou pensava que o conhecia. Contudo, quando a viagem começou, Pi percebeu que sabia apenas o que o oceano havia permitido que soubesse. O que achava necessário que ele soubesse. Mas agora, agora que o mar o deixava entrar, ele o envolvia com a fúria e a paixão de um mestre. E Pi tinha muito a aprender.
 O mar o jogava de um lado para o outro, o obrigava a se agarrar ao barquinho enquanto vomitava, ofegava e tremia. Até finalmente o mar jogar o barco de Pi contra as rochas e cuspi-lo na praia de uma ilha distante. Mas Pi estava zangado e deu as costas para o oceano. Não precisava de um professor. Aprenderia sozinho as lições que queria aprender. E ele aprendeu. Aprendeu que comer todas as provisões em um dia o deixaria com fome no dia seguinte, e quase morto de fome

no terceiro dia. Que os únicos resultados de gritar com as estrelas a noite toda e dormir o dia inteiro eram garganta e pele queimada. E que chutar um barco destruído não o consertaria.

Porém, com o tempo, a raiva e o orgulho deram lugar à fadiga, e ele ficou deitado na praia, pronto para aprender. O mar lavava seu corpo seco, queimado, despertando-o do delírio e ensinando a ir procurar água fresca em caules ocos e usar a seiva das plantas para acalmar o ardor na pele.

O oceano negava alimento, ensinando Pi a procurar caranguejos na praia, caçar javalis e descobrir o sabor doce de uma fruta boa, distinguindo-o do amargo de uma fruta ruim.

O mar, em seu ciclo de vento e chuva, molhava Pi, incentivando-o a construir um abrigo de juncos e folhas para se manter seco.

Com o tempo, os músculos de Pi se fortaleceram e sua mente ficou mais aguçada. Ele sabia que devia procurar abrigo quando as aves coloridas da ilha paravam de cantar, pois uma tempestade se aproximava. Sabia que era mais fácil pescar o peixe na calmaria da maré baixa. E sabia que um barco naufragado e abandonado na praia não se consertava sozinho.

Reconstruir o barco promoveu novas descobertas para o jovem navegador. Ele tinha talento para o artesanato — entalhe, flexão e amarração — e sentia prazer com o trabalho. Gostava como a madeira de uma árvore caída tomava forma em suas mãos. Apreciava a sensação de esfregar o arenito áspero na madeira para deixá-la lisa. Por intermédio do trabalho, ele descobriu que é melhor não deixar o dedo embaixo do martelo. E aprendeu que suor e músculos doloridos dão satisfação e favorecem um sono reparador. Finalmente, depois que Pi aprendeu muito sobre sobrevivência e humildade, o mar o deixou voltar.

Mas ele ainda estava aprendendo qual era seu lugar no mundo. E ainda não havia conquistado seu nome.

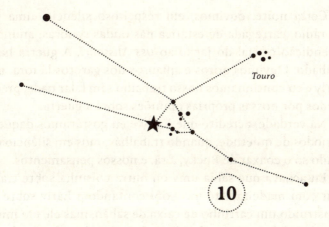

Nos últimos dias de agosto e nas primeiras semanas de setembro, assisti às aulas e trabalhei no barco com Early. Os outros meninos continuaram praticando em equipe, e falei ao sr. Blane que me juntaria a eles assim que meu barco estivesse pronto. Ele não parecia incomodado por eu ainda não ter aparecido. Talvez se sentisse responsável por minha humilhação inicial e não quisesse me ver cair na água de novo. Eu ainda via os outros garotos nas aulas e no dormitório, mas desde aquela noite no quarto de Sam e Robbie Dean e a conversa sobre Fish, o desconforto parecia o ruído branco de umas faixas vazias em um dos discos de Early. Girava em círculos, dificultando minha reentrada.

As horas após as aulas eram embaladas pelas canções de Frank Sinatra, Glenn Miller, Louis Armstrong, Mozart e Billie Holiday, dependendo do dia e do clima. Às vezes, Early e eu ouvíamos programas de rádio: *Zorro*, *Buck Rogers*, *Jim das Selvas* e *Capitão Meia-Noite*. Também havia notícias locais sobre a movimentação do grande urso que ainda aterrorizava os viajantes na Trilha Apalache. A recompensa chegava a 750 dólares.

Certa noite, ouvimos, em respeitoso silêncio, uma voz no rádio, carregada de estática nas ondas sonoras, anunciar a rendição oficial do Japão ao uss *Missouri*. A guerra havia acabado. Ouvimos gritos e aplausos dos garotos lá fora, mas Early e eu continuamos nosso trabalho sem falar nada, preenchidos por nossas próprias opiniões sobre a guerra.

Na verdade, acredito que Early e eu gostávamos daqueles períodos de quietude, quando trabalhávamos em silêncio ouvindo só o coaxar de Bucky, a rã, e nossos pensamentos.

Eu achava que sabia uma ou outra coisinha sobre trabalhar com madeira. Até me exibi contando a Early sobre ter construído um carrinho de caixa de sabão, mas ele era muito mais habilidoso. Com a luz da tarde entrando pelas janelas do porão, trabalhávamos na desmontagem do *Sweetie Pie*, removendo camadas de verniz e consertando rachaduras. Ele me mostrou como misturar serragem e resina para dar uma cor mais uniforme sob o verniz.

Passamos vários dias trabalhando nos remos, consertando rachaduras nas pás, pintando-os de azul com listras brancas e lixando o cano de madeira e o punho para um acabamento liso.

A estrutura do *Sweetie Pie* era sólida, mas, depois de removermos todas as partes podres e arestas desgastadas, isso era tudo que restava, praticamente. A única madeira disponível era a que encontramos na oficina no abrigo de barcos. Havia pedaços de carvalho e bordo, e um pouco de mogno para o acabamento.

A Regata Morton Hill aconteceria em quatro semanas. Eu fingia que não estava interessado. Afinal, remar um barco não era um esporte de verdade. Porém, enquanto os dias passavam e minhas mãos lixavam, esculpiam, moldavam, impermeabilizavam, colavam e prendiam cada centímetro do *Sweetie Pie*, eu sentia o despertar de uma coisa familiar: o espírito de competição.

Em casa, eu competia em tudo. Tinha sempre um campeonato de força, velocidade, resistência ou vontade. Havia os habituais — beisebol, corrida, natação —, embora a competição não tivesse que ser de um esporte de verdade. Competíamos para ver quem escalava mais rápido, quem batia com mais força, quem se escondia por mais tempo e quem cuspia mais longe.

Porém, desde aquele dia de julho no riacho, o último em que minha mãe estava com os cabelos enrolados, eu perdera interesse naquelas coisas. Abri mão do meu lugar no time de beisebol, parei de ir nadar e quase sempre deixava o prazer de escalar, se esconder e cuspir para as outras pessoas. Infelizmente, porém, descobri que ainda era muito bom em bater.

Melvin Trumboldt e eu estávamos cansados e suados depois de um dia de trabalho nos fardos de feno na fazenda do avô dele. Tudo que ele disse era que estava com fome e mal podia esperar para chegar em casa e comer um pouco dos biscoitos caseiros e do molho que a mãe dele preparava. Mas como ele podia falar daquele jeito tão casual sobre a mãe, quando eu não tinha mais a minha? Não me orgulho disso, mas ataquei e o acertei em cheio no rosto. Pior foi quando ele disse que merecera. Sinto vergonha de contar que quase chorei. Queria ter pedido desculpas antes de me mudar.

Entretanto, setembro chegara, e alguma coisa tinha despertado em mim. Acho que começou no dia em que percorri aquele trecho da corrida com obstáculos. Quando meus braços e minhas pernas começaram a trabalhar, outra coisa em mim também entrou em ação. Eu não sabia ao certo se vinha da tristeza, da raiva ou da necessidade de socar a cara de alguém, mas agora que o *Sweetie Pie* estava pronto e lindo, eu sabia que queria competir na regata. E queria vencer.

Early falava muito quando estávamos na oficina.

A maior parte de tudo que ele dizia começava com: "Você sabia que...?".

Você sabia que a regata era uma corrida de gôndolas nos canais de Veneza?

Você sabia que, em inglês, Maine é o único estado cujo nome tem só uma sílaba?

Você sabia que o leite de hipopótamo é cor-de-rosa?

Interessante mas exaustivo.

Ele também explicava coisas sobre a construção de barcos. A posição certa do assento de madeira em relação às sapatilhas a fim de dar espaço suficiente para alguém da minha altura executar uma remada completa sem forçar as costas. A importância de manter o nível dos remos e o ângulo correto ao posicioná-los.

Ele passava um bom tempo resolvendo equações na lousa para decidir qual era a melhor proporção para isso e a melhor envergadura para aquilo.

Era fim de setembro, duas semanas antes da regata, e Early aperfeiçoava o lubrificante para engraxar os trilhos.

— A regata marca o início da semana de férias de outono, Jackie. Em outubro, as manhãs começam a ficar mais frias. Peguei óleo de rícino na enfermaria para os trilhos do assento, porque facilita o deslizamento no ar frio.

Vi Early usar um pano limpo para espalhar o óleo nos trilhos embaixo do assento de oito rodas.

— Experimente — disse ele.

Sentei, encaixei os pés nas sapatilhas e flexionei e estendi as pernas algumas vezes.

— Suave — falei. — Vamos levar o barco para a água e testar.

Early e eu carregamos o barco escada acima e para fora do prédio. Era surpreendentemente leve. Minha última experiência com o *Sweetie Pie* havia sido um fracasso tão grande que eu me sentia um pouco nervoso com uma nova tentativa... até o colocarmos na água. O casco de madeira brilhante quase não provocou ondas antes de repousar ao lado do deque, elegante e fino. Sim, o *Sweetie Pie* parecia ser rápido e veloz, e eu tinha a impressão de que o barco gostava do próprio reflexo no espelho d'água.

— Entre no barco, Jackie.
Entrei.
— Comece a remar.
Comecei a remar. E remei. E remei. Naquele dia. No dia seguinte. E no dia depois daquele. Ia para a água antes do nascer do sol, ficava lá até ouvir o sino da capela. E voltava para a água depois das aulas, ficava lá até o sol se pôr. Meus músculos doíam de novo, no início se rebelando contra cada remada, me mantendo acordado à noite e gritando contra minha audácia de querer fazer coisas comuns como andar ou sentar. Andava pela escola envolto em uma névoa eterna do cheiro da pomada de Early.

Conforme os dias foram passando e a dor diminuindo, Early elogiou as remadas fortes e estáveis que me impulsionavam pela água. Minha navegação, no entanto, era ruim. Eu não conseguia remar em linha reta.

— Você precisa de um timoneiro.
— Um o quê?
— Timoneiro, uma pessoa para guiar o barco. O *Sweetie Pie* é duplo, e como tiramos um dos assentos para você poder remar sozinho, podemos adaptar um lugar de timoneiro. Você precisa de alguém para dar direção ao barco.

Meu orgulho se ressentiu um pouco, mas talvez ele tivesse razão. Eu ainda não havia provado que era um remador capaz, e por mais que quisesse estar no comando da minha própria corrida, sabia que ainda era um pouco inseguro na água.

Early foi ao Recanto, de onde voltou com um assento pequeno de couro. Tivemos que improvisar e usar o material que tínhamos a mão para prender o assento no fundo do *Sweetie Pie*, mas, depois de um tempo, Early se acomodou a bordo e partimos.

Dessa vez, ele gritava as instruções, coisas como "Passagem na água!", que significava que eu devia fazer toda força no movimento do remo, e "Pegada!", quando eu tinha que usar apenas os braços para fazer uma curva.

Uma coisa que aprendi sobre Early é que ele nunca duvidou da própria autoridade ao gritar instruções: "Remos a postos! Desacelerar! Força dez! Corrigir a braçada! Parar de remar!". Levei um tempo para entender o que os comandos significavam, e mais ainda para responder a eles. Mas, por fim, fui seguindo as orientações dele e comecei a me manter no curso.

Na baía, quando o sol descia sobre os bosques a oeste, Early baixava a voz ao dar o comando "Leva", que significava parar de remar e deixar o barco continuar o movimento até que ele pare. Lá nós descansávamos, aproveitávamos os últimos momentos de calor do dia. E Early me contava sua história dos números. A história de Pi e suas aventuras.

Às vezes, eu me preocupava um pouco com aquele garoto, o mais estranho de todos. Se ele conseguisse superar pelo menos um pouco de sua estranheza, talvez não fosse tão excluído. No entanto, quem era eu para falar? Lembrei-me do conselho que o diretor me deu quando cheguei à Morton Hill. *Se quiser se sentar com um grupo no almoço, eles provavelmente vão aceitá-lo. Se quiser se sentar sozinho, é capaz de também aceitarem sua escolha.*

Eu havia me sentado afastado na mesa, ficado longe do grupo, e me deixava divagar enquanto Early contava sua história.

CIDADÃO DO MUNDO
•⸺• *A história de Pi* •⸺•

Ao continuar sua jornada, Pi respeitou o poder do mar e sempre manteve a Ursa Maior à vista para guiá-lo. A viagem o levou a muitas praias distantes, onde ele encontrava os povos do mundo.

Os membros da tribo de pele clara na praia fria e rochosa eram pequenos e dóceis. Eles deixavam cestas de comida na frente de suas cabanas de pele de animais, mas não o encaravam.

Nas praias de águas mais azuis, ele encontrou casas construídas de argila e tijolos, em vez de galhos e folhas. Os moradores vestiam túnicas e sandálias e o envolviam em ótimos diálogos e debates. Faziam a ele perguntas sobre as quais Pi nunca havia pensado antes: o que é mais importante, a alma ou a mente? Somos responsáveis uns pelos outros, ou só por nós mesmos? Existe essa coisa chamada mistério, ou apenas aquilo que ainda não é compreendido? Pi gostou do tempo que passou com esses grandes filósofos — os Pensadores, como os chamava —, mas a comida não era boa, e, depois de um tempo, sua cabeça começou a doer. Foi um alívio se despedir e desfrutar da solidão do barco.

A estadia mais curta foi em uma ilha nas águas revoltas a oeste, onde o Sol era refletido na areia quente e deixava tão pouca umidade que nada crescia. Pi percebera que a água era essencial não só para a vida, mas também para a felicidade, porque apesar de ter sido recebido de braços abertos, aqueles braços arremessavam lanças e pedras. Ele se retirou depressa e escapou levando apenas hematomas e cortes como recordações da visita.

O povo de que ele mais gostou foi o da região exuberante de águas calmas. Eram pessoas grandes, barulhentas e agitadas, e depois de recebê-lo no vilarejo com um banquete de carnes salgadas, frutas doces e cervejas com especiarias, eles comemoraram a nova amizade por semanas e quase não o deixaram partir.

Contudo, ele partiu. Afinal, não estava procurando um novo lar. Era um viajante. Um navegador. Alguém que segue traçando um curso e procurando o caminho. E ele ainda procurava seu caminho.

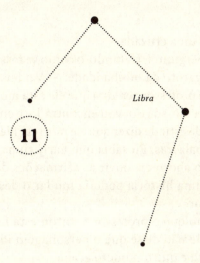

Libra

11

Certa noite na oficina, quando estávamos fazendo os últimos ajustes no trilho do assento e nas presilhas, Early disse:

— Vou fazer uma viagem nas férias de outono. Quer vir comigo, Jackie?

Eu me surpreendi. Ele *nunca* ia a lugar algum e parecia gostar de ficar sozinho. Nos dias em que todos os meninos recebiam permissão para ir à cidade, Early jamais ia com eles. Na maior parte do tempo, fazia o que queria na escola, e imaginei que, desde que aparecesse para fazer as refeições e para a missa no domingo, ninguém sentia necessidade de supervisionar suas atividades. Eu não conseguia nem imaginar com quem ele faria a viagem, mas também não tinha nenhum interesse em ir.

— Ah, desculpa, meu pai vai tirar uma licença e vem me visitar. — Até fazer esse comentário, eu não havia percebido como estava ansioso para vê-lo. Talvez meu pai também estivesse com saudade de mim. — Ele vem assistir à regata de outono, e depois vamos a Portland.

— Tudo bem — respondeu Early.

— Aonde você vai?

— Vou fazer uma cruzada.

— Ah, é? — perguntei, tratando-o como se fosse uma criancinha, não um garoto da minha idade. — Vai buscar o quê?

— Pi. Aquele professor acredita que ele está morto, mas está apenas desaparecido, só isso. Vou encontrá-lo, e então o professor Stanton vai desistir de dizer que ele morreu. Ele *não* morreu.

Fiquei sem palavras. Eu sabia que Early tinha sua história sobre Pi e que o aborrecia ouvir as afirmações do matemático. Mas como uma história poderia mudar o desfecho da teoria do professor?

— Early, acho que o professor Stanton está falando sobre o número pi. Ele não disse que o personagem Pi está morto. O que ele afirma é que o número acaba.

— O número não acaba! Pi não está morto!

Early falou com a mesma autoridade que usava para dar suas orientações de timoneiro. Depois pegou o pote de balas de goma, espalhou todas elas sobre a bancada de trabalho e começou a separá-las. Verde, azul, amarelo, vermelho, laranja. A respiração dele era rasa e rápida.

Eu precisava acalmá-lo.

— Early, não se preocupe com isso agora. Tenho certeza de que Pi está bem. Provavelmente, teve outro problema com sua embarcação. Mas, se *nós* conseguimos consertar o *Sweetie Pie*, então ele com certeza vai arrumar o barco e retomar a viagem. O que estava acontecendo na última vez que o vimos?

— Ele estava em perigo. — Early respirava um pouco mais devagar agora, e ouvimos o ruído de pingos na janela. Começara a chover. Peguei um disco e o coloquei na vitrola. A música acabou com a tensão, e Early começou sua história, dessa vez sem números na lousa. Ele conhecia aquela narrativa de cor.

E ao fundo da história de Early soava a voz *dela*. A alma dela. A tristeza e a nostalgia dela. Porque, quando chove, é sempre Billie Holiday.

APUROS E PERIGOS
•····• *A história de Pi* •····•

Pi enfrentou muitos perigos. Tubarões o perseguiram por dias, as barbatanas deslizando ao lado do barco. Talvez esperassem que ele caísse na água. Talvez quisessem enlouquecê-lo o suficiente para fazê-lo pular no mar.

Mas os insetos tinham mais chances de levá-lo à loucura. Em um trecho de água onde não havia vento, ele encontrou uma nuvem de insetos barulhentos que picavam, uma nuvem tão densa que o céu escureceu à sua volta. Eles pairavam e atacavam enquanto Pi se coçava e se estapeava. Quando uma brisa soprou e empurrou a embarcação, ele estava tão inchado que quase não conseguia enxergar ou respirar, e as feridas na pele verteram pus e coçaram durante dias.

Um dos momentos de maior perigo era na calmaria, quando os ventos podiam ganhar força em minutos. Seu barco era sólido e forte, e pequeno o bastante para que pudesse ser manobrado rapidamente, virando-o de um lado para o outro para escapar das águas agitadas. Mas dessa vez foi diferente. Parecia não haver fim para o vento uivante e as ondas. Horas viraram dias, até que, de repente, ele se viu cercado de uma calma sinistra. Águas mansas — talvez mansas até demais.

O vento cessou tão depressa, que era como se sugasse todo o ar de dentro dele. Pi nunca havia presenciado uma calmaria tão mortal. Então, tão de repente quanto havia surgido, o olho da calmaria desapareceu. Mais um vez, ele era soprado e batido pela tempestade.

Finalmente, sua força chegou ao fim e ele foi arrastado para o mar.

Seu corpo flutuava entre ondas enormes, e a mente vagava entre sonho e realidade. Era mesmo uma baleia que o encarava? Pi havia escutado histórias de pessoas que foram engolidas por grandes cachalotes. Um viajante até conseguiu sobreviver por dias antes de ser cuspido. Essa baleia realmente nadava embaixo dele, o mantinha na superfície? Uma baleia levaria um corpo até a praia em segurança? Havia mesmo olhado no fundo dos olhos sombrios de uma grande baleia branca? Essa era a lembrança que permanecia com Pi quando ele se viu deitado em mais uma praia, cercado de destroços, algas e carcaças de peixes que não haviam se dado tão bem quanto ele durante a tempestade.

A imagem de uma baleia benevolente era agradável, mas foi rapidamente posta de lado quando ele se levantou e ergueu os olhos para uma grande montanha com colunas de fumaça e explosões de rocha derretida escorrendo de sua boca aberta.

Ele se lembrou de uma expressão de seu vilarejo: *Pular da panela e cair no fogo.*

Ainda não estava no fogo, mas um rio incandescente e brilhante de lava vinha em sua direção.

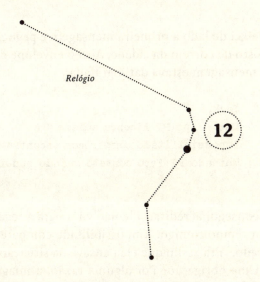

Relógio

12

Na manhã da regata, recebi duas mensagens por baixo da porta. Uma era um aviso: devido a uma tempestade prevista para o meio-dia de sábado, a corrida de abertura começaria às oito da manhã, não mais às nove. Tudo bem, eu só precisava encontrar Early e avisar que o horário havia mudado. Sabia que ele não receberia um comunicado, porque eu era o atleta registrado. Todos os outros garotos remariam sozinhos. Consegui autorização para ter um timoneiro por ser principiante, mas, com o peso extra de outra pessoa no barco, ninguém esperava que eu vencesse.

Ele devia estar na oficina. Na noite anterior, falou que ia acordar cedo e polir a placa de metal com o nome. A que tinha gravadas as palavras *Sweetie Pie* e que tiramos do barco antes de reconstruí-lo. Ele queria prender a placa de volta antes da corrida. De qualquer maneira, ainda havia tempo suficiente para tirar o *Sweetie Pie* do Recanto, aplicar a placa, e levá-lo ao local da largada na hora marcada para o início da corrida. Meu pai chegaria para o café ao nascer do sol e poderia assistir à prova com os outros.

Deixei de lado a primeira mensagem e peguei a outra. Era do posto de correio da cidade. Abri o envelope de telegrama.
A mensagem estava datilografada:

```
Jack,
Mau tempo PT Licença adiada PT
Impossibilitado comparecer encontro
marcado PT Faço contato quando puder PT
                                    Cap. Baker
```

Não consegui acreditar. Ele não viria para a regata. Não viria passar tempo comigo. "Impossibilitado comparecer encontro marcado." Era assim que ele pensava na situação? Um encontro? Uma obrigação? Por alguma razão, a imagem de quando soquei a cara de Melvin Trumboldt invadiu minha cabeça. Porém, dessa vez, eu não tinha ninguém em quem bater.

Olhei para o telegrama mais uma vez, depois o rasguei em pedacinhos e os joguei na lata do lixo. E daí que ele não viria? Não precisava dele ali.

O que aconteceu em seguida poderia não ter acontecido se eu não tivesse encontrado Preston Townsend quando abri a porta do quarto para ir procurar Early.

— Ei, Baker. Você sabe que a largada foi antecipada para as oito horas, não sabe?

— Sim, eu sei.

— Ótimo, porque não quero que você perca minha vitória.

Não foi isso. Essa era só uma provocação normal, coisa que acontece antes de qualquer corrida. Foi o que ele disse depois.

— E não esqueça sua babá — ele gritou enquanto se afastava.

Cerrei os dentes. Minha *babá*. Meu timoneiro. Early. Eu não precisava dele, podia ganhar a corrida sem a ajuda de ninguém. Meus braços eram fortes e preparados. Minhas pernas pareciam capazes de superar qualquer concorrente. E nas últimas vezes que estive na água, remei em linha reta como uma flecha. Eu podia competir sozinho.

Sozinho. Foi nesse momento que decidi fazer uma coisa pior do que socar a cara de alguém. Amassei o aviso de antecipação da largada em minha mão suada. Depois corri para o Recanto e retirei o assento de timoneiro do barco.

Sete barcos estavam alinhados na posição de largada. Nuvens negras se formavam ao longe, mas, pela primeira vez, a água da baía estava plana como um espelho. Pais orgulhosos se perfilavam na praia acenando com flâmulas azuis e brancas, e todos receberam canecas de chocolate quente enquanto esperavam o começo da corrida. A competição do oitavo ano abriria a regata, depois viria a prova dos calouros, a do segundo ano, dos alunos do penúltimo ano, e finalmente seria a vez dos formandos. A regata terminaria com a premiação e um grande almoço no refeitório, com sanduíches, sopa de mariscos, biscoitos, salada de repolho e torta de mirtilo.

Quando me sentei na posição do remador, senti uma ponta de culpa por ter excluído Early. Mas não imaginava meu pai se sentindo muito culpado por ter me excluído dos planos, então afivelei as sapatilhas de couro e segurei os remos. Sabia que Preston Towsend estava à minha direita, e que Sam Feeney e Robbie Dean, nos dois barcos à minha esquerda. Eu, no entanto, olhava para frente e tentava me controlar.

O sr. Blane berrou para declarar aberta a regata. O diretor Conrady fez a oração de abertura pelo alto-falante cheio de chiados. Eu não estava prestando muita atenção à cerimônia, mas ouvi quando ele leu a escritura no final de seu pronunciamento.

— Portanto, como estamos cercados por tantas testemunhas, vamos nos livrar de todos os pesos que nos retardam e do pecado que nos emaranha com tanta facilidade, e vamos correr com perseverança a corrida que nos foi destinada.

Basicamente, o que ouvi foi o trecho sobre "livrar de todos os pesos que nos retardam". Viu, tinha até um versículo bíblico para justificar minha decisão. Early não era um peso extra no barco?

Quase não ouvi a ordem de largada, e, na primeira remada, soube que havia cometido um grande erro. No entanto, continuei remando.

O trajeto da regata começava perto do deque e seguia atravessando a baía em linha reta até uma boia, que devíamos contornar para voltar de onde partíramos. Comecei bem, e minhas remadas eram fortes e confiantes... até me aproximar da boia para fazer o retorno.

Eu podia ver as bandeiras tremulando na praia, pais e alunos torcendo. Descobri que estava procurando rostos. Sabia que o capitão não estava lá. Mesmo assim, não conseguia parar de procurar alguém com o uniforme da Marinha. Porém, as cores eram borradas, confusas.

Quando olhei para trás, eu havia perdido a boia de vista. Os outros barcos já tinham feito o retorno e seguiam para a linha de chegada. Devo ter passado do ponto. Tentei fazer o retorno. Mas sem Early para gritar os comandos — "FORTE! PASSAGEM NA ÁGUA! NIVELA!" — eu balançava e sacudia com pouco controle e ainda menos direção. O *Sweetie Pie* descreveu um arco amplo que passou perigosamente perto da margem rochosa do outro lado de Wabenaki Bay. Concentrei a força no remo a estibordo, mas tudo que consegui foi deixar toda a lateral do barco vulnerável às pedras salientes, e antes que pudesse retomar o curso, ouvi um barulho horrível.

Uma enorme pedra escura se projetava da margem. Devia estar ali há um milênio, mas parecia ter passado todo esse tempo esperando por este momento, quando rasgou um lado do *Sweetie Pie*.

Bordo e carvalho são fortes. Havia até um pouco de mogno. Pensei que o barco talvez pudesse aguentar o golpe, mas já havia água se acumulando em volta dos meus pés. Eu havia enfim concluído a curva de retorno e, quando olhei para trás, vi os outros competidores na metade do caminho para a linha de chegada, que parecia a quilômetros de distância. Eu era forte, e agora só faltava uma linha reta. Podia chegar lá. Mas a água continuava entrando.

Tentei invocar a voz de Early em minha cabeça. "Força dez! Força vinte!" Olhei para trás de novo. Conseguia ver a linha de chegada, mas meus pés estavam completamente submersos na água. Mais algumas remadas, e o barco afundaria. Cada músculo do meu corpo dava o máximo, se esforçava à beira do esgotamento. Meus braços, minhas costas e minhas pernas quase gritavam com cada remada. Eu era o último a me aproximar da linha de chegada, e minha mente estava em pânico. A ideia de afundar o barco na frente daquela multidão era inimaginável. Eu não conseguia pensar. Mal conseguia respirar. No entanto, a voz de Early soava clara em minha cabeça. "Alinha! Alinha. Estabiliza. Estabiliza. Reduz. Reduzir remada."

Parei ao lado do deque e saí do barco tremendo. Algumas pessoas olhavam para mim e para o *Sweetie Pie*, que continuava afundando, mas muita gente já havia mudado de lugar para parabenizar os garotos que concluíram a prova com seus barcos intactos. Outros se preparavam para a próxima corrida. De algum jeito, escapei de um constrangimento do qual jamais teria me recuperado. Olhei para os meus sapatos encharcados e, no deque, vi uma plaquinha com as palavras *Sweetie Pie*. Era a placa de metal que Early havia polido e planejava prender novamente no barco.

O sr. Blane me ajudou a tirar a embarcação arruinada da água.

— É uma corrida difícil, Baker. Vamos trabalhar nas curvas depois das férias. Parece que a tempestade está vindo depressa. É melhor se preparar para partir — disse ele, e no mesmo momento, começou a chover, o que obrigou todo mundo a correr em busca de abrigo. Assenti, mas não estava ouvindo de verdade. Olhei em volta, estudei os rostos procurando um em especial: o de Early Auden. Segurando a placa com o nome do barco, com a chuva encharcando minhas roupas, percebi que não havia imaginado a voz dele durante a corrida. Ele realmente havia gritado os comandos do deque. Mas não estava mais lá.

Abaixei a cabeça e tive certeza de que acertei Early da mesma forma que acertei Melvin. Bem na cara.

Ao anoitecer, o dormitório estava assustadoramente silencioso. Depois da regata do oitavo ano, a tempestade ganhou força e trouxe ventania e chuva forte, e todos correram para o refeitório para fazer um almoço rápido. Em seguida, malas foram carregadas e os garotos entraram nos carros que os esperavam. Alunos cujas famílias moravam longe demais foram convidados para passar os dias de folga na casa de amigos. Sam iria com Robbie Dean para Portland, e Preston ia caçar com o pai. Até o sr. Blane, monitor do dormitório do colégio, havia ido visitar a família em Boston e participar do evento do Fall Math Institute.

Alguém poderia ter me convidado por pena se soubesse que eu ficaria sozinho, mas eu também devia ter ido com meu pai para Portland.

Estava escuro e frio. Deixei a luz do quarto apagada e sentei ao lado da janela, ouvindo o barulho da chuva e comendo o que sobrou da torta de mirtilo que eu trouxera do refeitório. Pus um cobertor sobre os ombros e tentei ver as horas, mas estava escuro. Sabia que era tarde, provavelmente passava das dez da noite.

Enquanto olhava pela janela para o céu sem lua, revia mentalmente os eventos do dia. A mensagem de meu pai. A provocação de Preston. A remoção do assento de timoneiro. As pedras rasgando a lateral do *Sweetie Pie*. Os comandos de Early me levando de volta ao deque. O sr. Blane me dizendo que foi uma "corrida difícil". Mas, principalmente, lembrava a sensação de estar perdido, incapaz de determinar em que direção seguir. Olhar pela janela era como encarar um oceano profundo, escuro, e eu me imaginei flutuando, boiando à deriva sob um céu sem estrelas.

Eu me encolhi na poltrona ao lado da janela, afogado nos meus próprios pensamentos miseráveis. Quatro meses atrás, eu era um garoto normal do Kansas aproveitando as férias de verão, e agora estava ali, sem nenhum lugar para chamar de casa, em uma escola onde não tinha beisebol, incapaz de remar um barco em linha reta. Meu coração ficou apertado quando tentei não pensar na maior de todas as perdas.

Deixei de lado os pensamentos do dia. Normalmente, algumas palavras confortantes de minha mãe teriam surgido em minha mente, mas nesse momento eu não conseguia ouvi-la. Em vez disso, o restante do que o sr. Blane havia dito voltou à minha memória. "É uma corrida difícil, Baker... A tempestade está vindo depressa... É melhor se preparar para partir."

Foi essa última parte, "melhor se preparar para partir..." Todos os alunos precisavam de uma permissão assinada para sair do campus, e eu estava autorizado a sair. O telegrama do meu pai havia chegado naquela manhã, mas eu era o único que lera a mensagem. Durante a confusão de alunos deixando o colégio na chuva, o sr. Blane devia ter presumido que meu pai também ia me levar, como todas as outras famílias que haviam ido buscar seus filhos para passar um tempo com parentes e amigos.

Ninguém sabia que eu ainda estava ali. Eu estava mesmo à deriva. Nenhuma amarra. Nenhuma âncora. Vi uma repentina explosão de luz, e minha pulsação acelerou. Havia algo inebriante em estar completamente sozinho sem que ninguém soubesse. Eu podia viajar para a Califórnia, para o Kentucky ou para o Kansas, e ninguém perceberia minha ausência até o próximo domingo, quando todos voltariam para a escola. É claro que eu não sabia como chegar a esses lugares, mas essa é a questão de estar perdido. Ter liberdade para ir a qualquer lugar, mas não saber onde ficava lugar nenhum.

Pensei em Fish e o imaginei na França antes de ser morto. Ele estava sozinho? Perdido? Será que estava escuro? A escuridão lá fora parecia se aproximar de mim. De repente, estar sozinho não era mais tão inebriante. Era apenas... solitário. De novo, tentei ouvir a voz de minha mãe. Mas só havia o ruído da chuva e a escuridão ensurdecedora.

Então vi uma luz. Era pequena, insignificante, mas depois de tanto brincar de esconde-esconde em campos abertos, eu sabia que até a menor luz podia brilhar como um farol. Olhei com mais atenção pela janela e percebi que a luminosidade vinha do porão do prédio do científico. A oficina de Early. Endireitei as costas na cadeira, e uma onda de alívio me invadiu. Embora não houvesse estrelas para me guiar, nem marcos para determinar um curso, nem mesmo a voz de minha mãe para me confortar, eu ainda tinha alguns parâmetros de localização. Havia coisas que eu sabia serem verdadeiras.

Chovia, por isso eu sabia que o disco de Billie Holiday estava rodando na vitrola. Sabia que a oficina de Early era quente e convidativa. Sabia que tinha sanduíches de pasta de amendoim prontos. E sabia que Early estava lá. Eu não estava sozinho.

Vesti a capa de chuva e saí para atravessar o campus e ir à oficina.

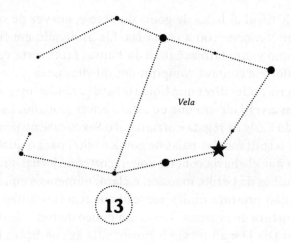

Eu tinha razão quanto à música de Billie Holiday. E o lugar estava quente, muito quente. No entanto, Early tinha algumas surpresas na manga.

Pensei que ele não tivesse escutado quando entrei, porque continuou em pé de costas para mim usando o casaco vermelho com estampa xadrez, reunindo objetos ao lado da mochila: fósforos, uma lanterna, um poncho impermeável, sanduíches de manteiga de amendoim, maçãs, ovos cozidos e latas de feijão. Não eram só objetos, eram suprimentos. Havia me esquecido da jornada de Early e não o levei muito a sério sobre ir a algum lugar. Bússola, mapa, canivete, corda, cantil, tudo isso fazia sentido para uma aventura. No entanto, ele também pegou um pote de mel, um saco de tabaco, um pacote de chicletes, o pote de balas de goma e um diário de capa de couro com anotações sobre pi. O que mais me surpreendeu foi o maço de notas de dólar que Early tirou de um pote de geleia. Ele enrolou o dinheiro e o guardou em uma lata vazia de feijão, que tampou e amarrou com um elástico. Definitivamente, os preparativos eram para uma viagem com proporções de cruzada.

Early tirou as balas de goma do pote e, em vez de separá-las por cor, começou a contá-las. Ele as dividiu em filas de dez, como vi um farmacêutico do Kansas fazer certa vez. Era assim que ele contava comprimidos ou vitaminas.

Queria poder dizer que fiquei quieto para não interrompê-lo, mas a verdade era que eu estava envergonhado. Eu havia excluído Early da regata e arruinado o *Sweetie Pie* no processo. Deixei-o contando as balas de goma e olhei para o quadro de cortiça que ele havia coberto com recortes de jornal, gráficos, fitas, folhas de bordo, mapas e, é claro, números e equações.

Eu não prestara muita atenção aos recortes antes. Eram uma mistura de notícias. Tinha um pouco de tudo, de artigos sobre o Dia D e a invasão à Normandia às condições climáticas do Maine e informações sobre o grande urso-negro que assombrava a Trilha Apalache. Aparentemente, era uma coleção aleatória de dados. Mas quem podia entender como a cabeça de Early funcionava? Para ele, devia fazer sentido.

Um artigo falava sobre a suposta morte do Grande Urso Apalache. A foto mostrava um enorme urso-negro, que diziam ter duzentos e setenta quilos, mas a matéria afirmava que as patas eram pequenas demais para serem do urso ainda maior que continuava solto. A fotografia granulada devia ter sido tirada antes de as autoridades fazerem essa medição, porque mostrava o caçador posando orgulhoso ao lado da presa, aparentemente sem saber que não ganharia nem mesmo um centavo da recompensa, e um pouco atrás dele, um lenhador barbudo que parecia se divertir com aquele espetáculo.

A colagem no quadro de cortiça parecia com o que eu imaginava que devia ser a cabeça de Early: uma confusão de informações, texturas, cores e caos que só ele conseguia entender. Saber mais sobre Early era quase tão desafiador quanto navegar em águas misteriosas e inexploradas.

— Acho que Billie Holiday e Mozart teriam sido amigos.

Pulei de susto ao ouvir a voz dele. Early continuava de costas para mim. Será que sabia que eu estava ali desde que cheguei?

— Eles teriam gostado da música um do outro.

Ele não falou nada sobre a corrida. Eu sabia que Early era diferente. Estranho. Talvez não sentisse coisas como decepção ou a dor de ser excluído. Talvez fosse apenas indiferente a esse tipo de sentimento.

— E, se eles estivessem em um barco — disse Early —, Billie Holiday nunca deixaria Mozart para trás. Não é isso que os amigos fazem.

Pensando bem, não.

— Dorothy não deixou Totó. Ruth não deixou Naomi. Capitão América jamais deixaria Bucky para trás.

Eu já tinha entendido.

— Você conhece o lema aqui da nossa escola, Jackie? *Semper Fidelis*? Significa...

— Eu sei o que significa. — E sabia mesmo. — "Sempre fiel." — E também sabia profundamente o que significava ser deixado para trás. — Early, eu não devia ter feito aquilo. Desculpa.

— Tudo bem, Jackie —respondeu ele, tirando a rã de um terrário que mais parecia um lago. — Bucky e eu temos que ir.

Agora entendia de onde ele tirara o nome do sapo. Sorri. E se o sapo era Bucky, Early era...

— Escute, Capitão América, sei que você está muito ocupado com o começo dessa sua grande cruzada e tudo, mas não pode entrar na mata sozinho. Vai se perder, ou vai acabar sendo devorado por aquele urso que está vagando pela trilha. Vamos dormir e, amanhã cedo, depois de uma boa noite de sono, nós dois estaremos com a cabeça mais limpa, pensando melhor.

A respiração de Early era rápida e rasa. Ele sabia que eu o estava tratando como criança.

— Estou indo mesmo assim — disse ele.

Early falava sério.

— Ele está perdido, e preciso encontrá-lo.

Eu estava cansado, mas a ideia de voltar sozinho para o dormitório vazio era insuportável. De qualquer maneira, Early provavelmente só passaria algumas horas fora.

— Tudo bem — falei. — Vou com você. Mas temos que deixar Bucky aqui.

Uma pausa. Em seguida, ele pegou a rã.

— Amigos não deixam outros amigos para trás, Jackie. — E colocou Bucky no bolso para depois pegar o assento de timoneiro. — Você rema e eu navego. Vamos colocar isso no barco.

De repente senti um nó no estômago. Ele planejava subir o rio Kennebec de barco. Pensei que soubesse que eu havia arruinado o *Sweetie Pie*. Engoli em seco.

— Early, o *Sweetie Pie* está danificado. Bati em uma pedra. Você estava lá. Sei que gritou os comandos para mim quando eu voltava, mas quase afundei!

Early pegou dois remos diferentes dos que eu havia usado mais cedo. Pareciam mais velhos, mas eram melhores. Ele agia como se não tivesse escutado nada do que falei. Eu tinha que fazê-lo entender. Segurei um dos remos.

— Early, não tem barco. — Esperei a reação dele. Ia chorar? Ia me bater? Ia pôr um disco na vitrola, colocar a agulha nas faixas vazias e se retirar para dentro de si mesmo? Eu torcia para ele me bater.

Early, porém, me entregou o outro remo e disse:

— Não *aquele* barco. — E parou no corredor para tirar a lona de cima de um objeto pelo qual eu devia ter passado ao entrar na oficina.

Early não disse "*Voilà!*", mas podia ter dito. Porque, como um mágico, ele revelou a última coisa que eu esperava ver.

O *Maine*.

Chocado, olhei em volta com medo de que alguém fosse nos pegar em flagrante roubando o cálice sagrado do Recanto. Mesmo com a iluminação fraca, o *Maine* brilhava como se tivesse luz própria. As madeiras de lei misturadas, mogno e carvalho, haviam sido cortadas, lixadas e pintadas com uma beleza que fazia o *Maine* parecer uma obra de arte, não um barco de competição.

— Early, você não pode pegar *esse* barco. Ele nem devia estar aqui. Não sabe que o *Maine* é como o maior dos tesouros da Morton Hill? — Eu não acreditava que tinha que dar essa explicação. Ele estava no colégio havia anos. Eu havia chegado dois meses atrás e sabia da importância do *Maine*. — É como se tivesse trazido a *Mona Lisa* para cá. Ou a Arca da Aliança, ou... ou... a Estátua da Liberdade!

Early estava ocupado dobrando a lona.

— Como o trouxe para cá? — perguntei. — Você não ia conseguir carregar o barco sozinho.

— O sr. Wallace me ajudou com a condição de eu não contar a ninguém que ele tomou mais que alguns goles durante a tempestade hoje de manhã. Ele não gosta de tempestades. Fica nervoso.

Eu não me importava com quantos goles o sr. Wallace havia bebido.

— Early, você não sabe de quem foi esse barco? — Eu falava devagar, como se ele fosse um idiota. — Pertencia a alguém que era uma lenda nessa escola. Ele estudou aqui, e depois foi para a guerra. Deve ter ouvido falar nele. Os outros alunos o chamam de Fish.

Early me fitou diretamente nos olhos, como se não conseguisse entender o que eu tentava colocar na cabeça dele com muito afinco. Enfim, ele falou:

— Sei quem é. O nome dele é Fisher. É o meu irmão.

Dizer que eu estava extremamente surpreso seria pouco. Isso não fazia sentido. Heróis e lendas não tinham irmãos, não é? Ninguém nunca fala sobre o irmão de sir Galahad. O Super-Homem tinha dois pais e duas mães, mas, até onde eu sabia, não tinha um irmão. O Zorro tinha o Tonto, mas não tinha irmão.

Ah, não. Eu estava começando a pensar como Early.

Então percebi uma coisa: essa informação vinha de um garoto que havia criado uma história inteira a partir de um número. Provavelmente, ele sabia quem era Fish e havia criado o mundo de fantasia no qual os dois eram irmãos.

Passei um braço sobre os ombros de Early.

— Tudo bem, digamos que ele seja *mesmo* seu irmão. Isso não significa que você pode desaparecer com o barco dele sem mais nem menos, certo?

— O barco não é dele, é *nosso*. Nós o construímos juntos.
— Early pegou um assento de madeira dentro do *Maine* e o fixou perto da popa. E foi um encaixe perfeito, fácil e simples. Tivemos que fazer muitos ajustes para prender o assento de timoneiro na posição correta dentro do *Sweetie Pie*, porque aquilo não fazia parte do projeto. O *Maine*, no entanto, parecia ter sido projetado para receber não só um assento, mas aquele assento em particular.

Se era verdade que Early e Fish eram irmãos, por que nenhum dos outros meninos havia mencionado isso? Eles falavam muito sobre o maior atleta e herói de guerra da Morton Hill. Por que não disseram nada? Mas eu já sabia a resposta.

Porque não queriam acreditar. Eu sabia o que eles pensavam sobre Early — que ele era estranho, morava em uma oficina velha e entulhada e raramente comparecia às aulas. Eles o haviam excluído, e não queriam reconhecer que Fish poderia ter tido um irmão tão esquisito, tão desajustado. Os alunos e professores ignoravam Early da mesma maneira. Ignoravam o garoto como se ele fosse um nada, a ponto de seu nome ser repetido em todas as chamadas e ninguém notar ou se importar com a falta de resposta. Ou com o fato de ele morar no porão.

E, aparentemente, ninguém se importava por ele ainda estar na escola quando quase todo mundo já havia saído. O sr. Wallace, o zelador, ainda estava lá, mas também era um solitário, e era bem provável que nem percebesse as idas e vindas de Early durante a semana de férias.

Early voltou à oficina e se dirigiu ao quadro de cortiça, com a coleção de papéis e folhas. Ele levantou a mão para o canto superior direito e tirou alguma coisa de lá. Uma corrente com dois pedaços de metal prateado. Ele me entregou a corrente. Eram as placas de identificação que um soldado usa no pescoço. Toquei as letras em relevo no metal. Um nome, um número de série e a cidade de origem:

FISHER AUDEN
37887466
BETHEL, MAINE

Depois ele me entregou um papelzinho dobrado. Uma carta com palavras datilografadas com tanta força que eu podia senti-las em relevo do outro lado da folha, de forma que, frente ou verso, era possível ler a mesma mensagem.

```
É com grande pesar que
escrevo para informar
a morte de seu irmão,
o tenente Fisher Auden.
```

A mensagem era clara. "Seu irmão, o tenente Fisher Auden." Isso devia ser o que o sr. Blane chamava de "prova por contradição". Porque aquelas placas de metal contradiziam tudo que minha cabeça gritava sobre Fisher não poder ser irmão de Early. A mensagem datilografada prosseguia.

```
Oito membros da companhia partiram
na missão de destruir a ponte Gaston
sobre o rio Allier no território
central da França. A posição em que
estavam foi alvo de fogo pesado. O tiro
direto de um tanque inimigo destruiu
o celeiro onde nossos soldados se
abrigavam. Não houve sobreviventes.
Os restos foram enterrados no local.
```

Segurei as plaquinhas de metal e me lembrei das roupas que Early havia me emprestado depois do incidente na piscina. Roupas que eram grandes demais para ele. Roupas de Fisher. Senti meu coração apertado por Early. O irmão dele estava morto, tanto quanto minha mãe estava morta. Porém, de algum jeito, Early não havia perdido a direção. Sabia quem era e onde ia.

Eu não sabia.

A chuva havia diminuído tanto que não fazia mais barulho na janela, só escorria em fios chorosos pela vidraça. O único som que restava era a voz de Billie Holiday. Aquele som granulado do disco na vitrola e as palavras dela, cheias de dor e sofrimento.

A canção me envolvia com ecos de tristeza, melancolia e fantasmas do passado. Um passado que já se fora e que não voltaria mais.

Senti a inquietação crescer dentro de mim. Não queria ficar sozinho com a tristeza, a chuva e os fantasmas do passado. Sabia que seguiria Early onde quer que ele fosse. *Ele pode se perder e me levar junto, mas é melhor do que ficar perdido e sozinho.* Era o que eu pensava, pelo menos.

Virei-me e entreguei as placas de identificação de Fisher a Early exatamente quando Billie Holiday terminou sua canção, e a agulha se moveu para a faixa vazia com seu chiado característico. Early me deu uma mochila e mostrou uma gaveta onde eu encontraria algumas coisas para levar. Entre os objetos que escolhi havia um par de meias, mais uma lanterna e meu próprio canivete suíço, que eu havia deixado ali dias antes. Depois, juntos, erguemos o *Maine* sobre os ombros e o levamos até a boca do rio Kennebec. A chuva havia parado.

— Todos prontos, remar! — Early deu o comando de partida. — Carregar e se mexer! — Sua voz era um pouco alta demais e sem muita entonação. E era clara e franca. No momento, a voz dele era a única que eu podia ouvir. E a única em que eu confiava. Sabendo disso, coloquei os remos na água e comecei a remar pela noite com Early como guia. Se ainda tinha alguma dúvida sobre Fisher ser irmão dele, deixei de ter quando a lua rompeu a camada de nuvens e vi um nome entalhado no punho de cada remo: *Early* de um lado, *Fisher* do outro.

Sabia que era loucura procurar um personagem de ficção que só existia em números, mas a jornada de Pi me tocava de alguma maneira. Ele era um viajante, Early havia dito. Um navegador. "Alguém que segue traçando um curso e procurando o caminho."

— Early — falei, movendo braços e pernas com suavidade e eficiência, como ele havia me ensinado —, não acha melhor me contar como Pi se perdeu?

Ele se encolheu no assento, me deixou remar sozinho sem comandos ou orientação.

— Bom, tudo começou na parte em que os números aparecem em fila, menos um.

473906528...

A CAMINHO DE CASA
•⸺• *A história de Pi* •⸺•

O sol se pôs e a escuridão cobriu a pequena ilha. Mas nenhuma escuridão era capaz de apagar o laranja e o vermelho brilhantes que se espalhavam como um cobertor pela montanha. Pi estava preso. Não tinha um barco. Sua pele ardia, e gotas de suor se formavam com a aproximação do calor. Para que lado devia ir? A lava mudava de direção sem levar em conta o que havia no caminho. Árvores caíam. Pedras eram cobertas. Ele podia correr para um lado da praia ou para o outro, mas, qualquer que fosse o lado, acabaria com lava incandescente lambendo seus calcanhares.

Como era possível sobreviver a uma grande tempestade e ser salvo por uma baleia apenas para morrer naquela ilhota? Ele sabia que desta vez não haveria um cachalote para escoltá-lo de volta à segurança. Olhar para o vulcão era suficiente para quase queimar os olhos. Ele olhou para o céu, desejando um momento de calma como o que havia vivido na tempestade. E então viu: a Ursa Maior apontando o caminho para sua estrela, Polaris. Ela o havia guiado até ali. Sua mãe havia dito que a Ursa Maior também era mãe. E o amor de uma mãe é forte. Confiaria nela. E a seguiria. No entanto, a estrela apontava para o mar, e Pi não tinha um barco.

Confiaria nela. Perto dele havia uma tábua trazida pelo mar. Ele a pegou, sacudiu e levou para a água. Era pequena. Fina. Mas boiava. Colando o peito à madeira, ele se lançou à água e remou com os braços. Quando não conseguiu mais mover os braços, bateu os pés. Quando não conseguiu mais mover os pés, deixou o mar guiá-lo enquanto dormia. Sabia sempre que a Ursa Maior o observava, o chamava.

O amor de uma mãe é forte. Depois de muitos meses e diversas provações, sentia que havia conquistado seu nome. E queria ouvi-lo na voz da mãe. Era hora de o jovem viajante voltar para casa.

Ser chamado pelo nome. Ser conhecido. Ser amado. Estava quase em casa. Flutuando sobre a tábua, lembrava as várias aventuras de sua jornada. Aprendendo as maneiras do mar. Conhecendo pessoas estranhas em terras ainda mais estranhas. Sobrevivendo a tempestades, tubarões e insetos. Quantas aventuras ele tinha para contar. Com corpo e mente flutuando sem direção, ele sentiu uma sombra passar pelo rosto. Porém, mais ainda, sentiu olhos sobre ele.

Era um navio com um grupo de homens que, desfocados pelo sol que ofuscava a visão do jovem viajante, o observavam do convés. Ele apertou os olhos e, justamente quando sua visão clareou, foi içado a bordo. Quem poderia acreditar? Estava sendo salvo por um bando de homens rudes e maltrapilhos, cheios de cicatrizes e mutilados por muitas lutas no mar, sempre prontos para roubar bens, tesouros ou barris de rum de qualquer embarcação que encontrassem.

Eles depositaram o corpo exausto de Pi sobre um rolo de corda e pediram uma jarra de rum. Uma mulher, de nome Donzela Pálida e Sem Graça, se aproximou com o rum e uma caneca. Ela parecia ser a única presença feminina a bordo, mas era tratada com tanto mau humor e tamanha vulgaridade pelos homens que quase nada podia fazer para tornar tudo um pouco mais suave.

O capitão enrugado, envelhecido e caolho deu um passo à frente, ordenando que a bebida fosse usada para soltar a língua do jovem. Um tripulante segurou Pi pelos cabelos e despejou uma caneca de rum em sua boca para despertá-lo o suficiente para falar. Pi engasgou e tossiu palavras que exprimiam procura, jornada e casa. Quando os piratas perceberam que ele não tinha nada de valor para roubar, nenhum tesouro escondido ao qual pudesse levá-los, prepararam-se para jogá-lo de volta ao mar, até que o jovem os desafiou a ir em frente. E contou que havia sido atormentado por tubarões e quase devorado por insetos gigantescos. E que fora atacado por uma tribo furiosa de nativos torrados de sol e fugido de um rio de lava derretida. E ficara frente a frente com uma baleia.

— Vão em frente — desafiou ele. — Joguem-me ao mar.

Os piratas se entreolharam, confusos. Quem era aquele rapaz que não só escapara da morte várias vezes, como ainda contava a história com tanto prazer?

— Fale sobre suas viagens — disse o capitão. — Estamos no mar há muito tempo e queremos ouvir mais.

Então, noite após noite, ele contou aos piratas as histórias de suas viagens e aventuras, enquanto a Donzela Pálida e Sem Graça enchia as canecas com rum e cerveja. Eles o jogavam de volta à cela do navio ao nascer do sol, mas todas as noites os piratas bebiam rum e ouviam as histórias de Pi sobre terras distantes e povos exóticos.

Às vezes, o capitão Darius também contava suas próprias histórias. Relatos que Pi sabia serem muito exagerados. Contos heroicos de tesouros escondidos que ele encontrava e de frotas inteiras que afundava. Darius falava de ter ganhado a pálida e dócil criada em um jogo de dados com um poderoso curandeiro dos mares do Sul. O curandeiro havia amaldiçoado a moça, de forma que ela teria sempre a aparência que os outros dissessem que tinha. Por isso, ela era sempre chamada de Donzela Pálida e Sem Graça.

Pi convenceu o capitão de que ele precisava de um nome melhor, um nome de pirata. Darius era muito comum. Ele o chamava de Darius, o Terrível quando estava em sua presença, mas, para a Donzela Pálida e Sem Graça, que servia água fresca e frutas para Pi e cujo verdadeiro nome era Pauline, ele o chamava de Darius, o Desagradável. Os dois riam disso. O navegador olhou para a jovem e, ajeitando com delicadeza uma mecha de cabelo atrás de sua orelha, disse que ela tinha um belo sorriso. E de repente era verdade. Depois de um tempo, Pauline não era mais tão pálida e sem graça. De fato, transformou-se em uma moça bonita. No entanto, sempre que o capitão Darius a chamava do convés por seu nome de Pálida e Sem Graça, o cabelo ficava sem brilho e o rosto perdia o encanto.

Pauline contou a Pi sobre as palavras que, segundo o curandeiro, quebrariam o feitiço.

Livre-se de suas amarras,
Liberte-se de suas correntes.
Não seja mais cativa.
Sua beleza está presente.

Para quebrar o encanto, porém, o verso deveria ser recitado por aquele que era seu dono. E ela sabia que Darius preferia ser jogado ao mar a dizer as palavras que a libertariam. Ela disse que o capitão a mantinha feia para impedi-la de fugir em um porto qualquer.

Com o passar das semanas, Pi começou a sugerir águas calmas e cheias de peixes e praias de areia dourada e cintilante. Fingia estar bêbado de cerveja quando contava sobre ter navegado para o norte e contornado o cabo da Fortuna, além do arquipélago Ilha Azul. Darius traçou um novo curso e levou Pi para mais perto de casa.

Finalmente, certa noite, quando Pi teve certeza de estarem a uma distância segura de uma ilha habitada, ele contou a Darius uma história sobre um grande e ousado capitão do mar que sabia de um tesouro enterrado em uma caverna. No entanto, uma bruxa do mar havia protegido o tesouro com encantamentos e feitiços.

Darius tirou uma faca do bolso e exigiu que Pi fizesse um mapa com a localização do tesouro. Ele concordou, mas disse que, sem as palavras certas, o capitão só encontraria uma arca de moedas enferrujadas e joias transformadas em pó.

— Escreva as palavras — disse ele. Pi obedeceu à ordem. Os olhos de Darius brilhavam. Ele ergueu o copo para um brinde, mas o descobriu vazio. — Donzela Pálida e Sem Graça — chamou —, traga mais rum. — E enquanto ela servia a bebida, Darius leu as palavras escritas no mapa do tesouro.

> *"Livre-se de suas amarras,*
> *Liberte-se de suas correntes.*
> *Não seja mais cativa.*
> *Sua beleza está presente."*

Com os olhos ainda no mapa, Darius não percebeu que os traços de Pauline recuperaram sua beleza natural.

Naquela mesma noite, enquanto o capitão e seus homens dormiam, Pi ajudou Pauline a embarcar em um bote secundário e a levou para a segurança de uma praia próxima.

Os perigos do mar eram grandes. O barco, pequeno e instável, não era a forma mais segura de transporte para uma jovem mulher. Então, depois de deixá-la aos cuidados de um bondoso taberneiro e sua esposa, e de prometer amor e um retorno rápido, Pi zarpou sozinho novamente, mas dessa vez tomou o caminho de casa. A jornada era breve, e seu coração estava leve.

Porém, quando enfim chegou às praias de sua juventude, ele descobriu que o vilarejo havia sido atacado. Havia muita destruição e seu povo estava morto.

Ele andou entre as ruínas. Algumas casas haviam sido queimadas, enquanto outras permaneciam intactas. A cabana de sua família continuava de pé, mas a maior parte do que antes existia dentro dela foi levada ou destruída. Em um canto, no chão, ele viu algo. Uma grande tristeza preencheu seu coração quando Pi pegou o colar de conchas que a mãe havia feito para ele. Ela queria que o filho pudesse ouvir o mar lambendo a praia de casa. Queria que ele voltasse. Mas Pi havia deixado o colar. "Tarde demais", lembrou-se das palavras que tinha dito a ela na hora da partida. "Eu pego quando voltar." Porém, estava longe quando a grande destruição aconteceu. E voltara tarde demais.

Ele pôs o colar de conchas no pescoço e sentiu seu peso, a perda que agora simbolizava. A família, o lar, o som do mar lambendo a praia para onde ele não voltaria mais.

Apesar da confusão e da dor, Pi encontrou um barquinho de pesca e, mais uma vez, partiu para o mar. Mas não olhava o céu em busca de orientação. Por muitos dias, viajara sem direção, deixando o vento ditar o curso. A lua minguou, encheu e minguou de novo. Em algum momento, ele conseguiu enxergar através das lágrimas, e novamente procurou orientação no céu. Na Ursa Maior.

Mas não conseguiu encontrá-la. Primeiramente, eram só nuvens e escuridão. E mesmo quando o tempo abriu, ele não encontrou a Ursa Maior para mostrar o caminho. Talvez a tristeza o confundisse. Era como se as estrelas tivessem mudado de lugar no céu, e agora Pi não conseguia mais distingui-las. Não havia mais o caranguejo, o caçador, o peixe. Apenas uma confusão de luzes que pareciam piscar e desaparecer.

Ele pensou na mãe, lembrou-se do menino que havia sido, em como ficava ao lado dela e era amparado por seus braços. Mas agora ela havia partido, e ele se deu conta de que ainda tinha que conquistar o próprio nome. Navegando sozinho, sem direção, sem destino e sem estrelas para guiá-lo, Pi desapareceu além do horizonte ao sul e se perdeu.

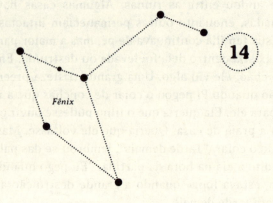

Fênix

Navegamos em silêncio por muito tempo, cada um de nós perdido nos próprios pensamentos. Havia algumas curvas pelas quais Early me guiou e, apesar de estarmos subindo o rio, a correnteza era lenta. Eu remava com movimentos tranquilos e firmes, e acabamos ficando confortáveis em nossas posições — eu remando e ele gritando comandos ocasionais. Era bom ser o braço forte dessa dupla e deixar Early determinar o curso.

Eu não conseguia nem imaginar o que passava pela cabeça dele, e, de vez em quando, Early recuperava aquela expressão ausente. Normalmente, o olhar perdido só durava uns dez ou quinze segundos, e depois voltava ao normal. Sempre como se nada tivesse acontecido.

Minha mente vagava de um assunto a outro: Pi, Fisher, minha mãe e Early, o mais estranho dos garotos. Mas eu estava ali, a caminho do desconhecido, remando de costas, olhando para ele. Não tinha certeza de que Early sabia para onde íamos, mas eu estava ali e iria com ele até o fim.

Depois do que pareceram ser algumas horas, Early tirou a corda da mochila e começou a fazer nós complicados. O sol se erguia, projetando luz sobre a loucura de nossa viagem. Uma coisa era zarpar no meio da noite, pois tudo parecia como em um sonho. Agora, porém, enquanto Early trabalhava em seus nós, eu sentia outro nó se formando em meu estômago.

Remei com mais força, tentando fugir do sentimento que me atormentava desde o fim da última história de Early sobre Pi.

Ele afastou os olhos dos nós.

— É triste o que aconteceu com a mãe de Pi, não é?

— Sim — respondi, e senti a voz presa na garganta.

— Você está pensando na *sua* mãe, não está?

— Não — menti, e quase perdi o controle do remo.

— Está, sim.

— Não, não estou.

— Como ela era?

Olhei para Early. Nunca tive que descrevê-la antes. Todo mundo que eu conhecia também conhecia minha mãe.

— Ela era uma mãe comum — falei, sem dar a devida importância à pergunta que Early fazia. Depois lembrei que ele não tinha mãe. — Era bonita e inteligente, acho. Sabia como tirar um curativo sem arrancar a casquinha do machucado. Não reclamava de pôr minhocas em um anzol. E era boa com as palavras. O professor dela no colégio inscreveu um de seus poemas em um concurso. Ela não ganhou, mas disse que gostou de participar.

— O que aconteceu com ela?

— Morreu, só isso — falei, surpreso por me ouvir dizer as palavras. E então percebi, não só nunca tive necessidade de descrever minha mãe, como também nunca tive que explicar o que aconteceu com ela. Não tinha falado dela desde sua morte. Não de verdade, pelo menos. Pessoas sussurraram condolências no funeral, mas não precisei responder nada além de "Obrigado por ter vindo". Early, porém, não esteve presente no funeral.

— Mas o que aconteceu? — insistiu ele.

— Não sei! — O único jeito de fugir de mim mesmo era continuar remando.

Early ficou quieto, mas eu sabia que ele esperava uma resposta.

— Estávamos conversando perto do riacho — contei, deixando de fora a história sobre ter me perdido na saída com os escoteiros. — Ela falou que estava com dor de cabeça e que ia para a cama cedo. Só que ninguém morre de dor de cabeça. Os médicos disseram que ela teve um aneurisma cerebral. Que ela morreu dormindo. — Tirei os remos da água e deixei o barco deslizar. — Mas eu não sei, porque não estava lá.

Estava ausente, pensei, lembrando a história de Pi. *Estava ausente e voltei tarde demais.*

— Eu devia estar no comando. Devia ter cuidado da minha mãe. Mas eu nem mesmo estava lá. Estava dormindo no celeiro porque era mais fresco. — E porque estava furioso. — Na manhã seguinte, quando entrei em casa para tomar café, ainda estava escuro; a xícara de porcelana lascada com as florezinhas vermelhas, a preferida dela, estava no escorredor sobre a pia. Ela não a tinha tocado. Fui até o quarto dela e a encontrei na cama. Não devia ter sido daquele jeito.

— Tem razão — disse Early. — São duas coisas diferentes.

— Que coisas? — perguntei. Achei estranho, surpreso por ele achar que eu tinha razão sobre *qualquer coisa*.

— Morrer e dormir. Uma pessoa devia poder fazer uma coisa sem a outra pegá-la de surpresa.

Tentei imaginar minha mãe falando aquelas palavras. Tentei lembrar a voz dela. Percebi que não conseguia mais ouvi-la. A voz de minha mãe havia desaparecido.

Tentei me concentrar em quantas remadas eu dava, quantas vezes flexionava e esticava as pernas, quantas vezes precisava respirar. Depois de um tempo, acho que me cansei de contar, fazer força e respirar. Então, notei que Early tirava algumas coisas da mochila. Mel, tabaco, pomada com cheiro de lavanda, balas de goma.

— Para que tudo isso? — perguntei, tentando não pensar no aperto que sentia por dentro e nos músculos doloridos.

— O nome disso é "provisões", coisas que você vai precisar em uma viagem. Mas você também pode chamar de "mantimentos", "alimentos", "gêneros de primeira necessidade" ou "básicos". No Exército, as provisões podem ser chamadas de "rações", mas meu favorito é "gênero alimentício".

— Sei o que são provisões, mas tudo isso que você trouxe... Mel, tabaco, balas de goma? Para quê?

— O tabaco é para micose e hera venenosa — explicou ele enquanto tirava Bucky do bolso e despejava um pouco de água nele para umedecer sua pele.

— E as balas de goma?

— São para Bucky. Ele gosta de bala de goma. — Early ofereceu uma bala ao bicho, que respondeu coaxando uma vez e sem entusiasmo. — E o mel e a pomada de lavanda são para mordidas de cobra.

— Ah, sim. As cascavéis.

— Cascavéis selvagens — esclareceu Early.

— Todo mundo acha que não há cascavéis no Maine. Por que você tem tanta certeza de que elas existem?

Soube que tinha cometido um erro no instante em que fiz a pergunta.

— Por muitas razões. Primeiro, é uma questão de estatística e probabilidades. No ano passado, sete pessoas afirmaram ter visto cascavéis no leste de New Hampshire, e doze no sul do Canadá. As chances de as cascavéis não atravessarem a fronteira do Maine são muito pequenas.

— Ah — respondi com pouco entusiasmo.

— E cascavéis gostam de áreas tranquilas, remotas, principalmente florestas com terreno acidentado. Elas encontram um habitat confortável em saliências rochosas a céu aberto, onde a temperatura é mais alta. Porém, também gostam de mata fechada e fresca, com densa cobertura de vegetação.

O Maine tem as duas coisas. Sem mencionar os padrões migratórios da cascavel, que indicam que...

— Fascinante — resmunguei, enquanto Early concluía seu segmento informativo sobre aquelas serpentes. Bocejei, mas voltei a prestar atenção bem a tempo de ouvir o último argumento.

— Bucky fica nervoso quando há cobras por perto, principalmente cascavéis. — Ele afagou a cabeça do anfíbio.

Bucky não parecia nervoso. Na verdade, dava a impressão de estar meio letárgico desde o começo da viagem, e nem tocou na bala de goma que Early ainda segurava na mão aberta. Pensei em sugerir novamente que ele libertasse o sapo, mas não queria ouvir outro sermão sobre fidelidade.

Continuei remando em silêncio.

Paramos algumas vezes ao longo do dia, mas a noite se aproximava, e estávamos exaustos e com fome. Os sanduíches, maçãs, ovos cozidos e feijões enlatados de Early estavam sendo consumidos depressa.

Tiramos o *Maine* da água e o escondemos entre as árvores na margem do rio. Havia uma clareira de grama e folhas caídas que serviria bem como área de acampamento.

O céu noturno estava limpo, e a temperatura caiu rapidamente com o pôr do sol. Esfreguei as mãos, tentando aquecê-las com meu hálito. Com o estômago roncando e o rosto gelando, comecei a pensar em como havia me metido naquela encrenca de cruzada com Early.

— Vamos fazer uma fogueira — falei, pensando que talvez devesse ter ficado na escola e suportado uma semana de infelicidade. Pelo menos teria uma cama quente para dormir.

— O Super-Homem consegue fazer fogo com a visão de calor — comentou Early.

É claro que, se tivesse ficado na escola, eu teria perdido essa enciclopédia de informações sobre quadrinhos.

— É, bem, o Capitão América teria que fazer fogo à moda antiga, assim como a gente. Venha me ajudar a recolher gravetos e folhas.

Enquanto formava uma pilha de folhas e grama e construía em cima dela uma pirâmide de gravetos, fiquei feliz por ter aprendido a fazer uma fogueira, embora o caminho para me tornar um Escoteiro da Pátria tivesse sofrido um grande desvio quando a maioria dos pais da minha tropa foi para a guerra. (Sem mencionar o fato de eu ter me perdido em nossa primeira expedição de sobrevivência.) O único pai que ficara era o de Jimmy Arnold, e só porque ele havia sido classificado um 4-F, o que significava que era inadequado ao serviço militar por ter um grave problema de visão. Ele era banqueiro, não sabia distinguir uma amoreira de uma armadeira. A tropa quase acabou quando saímos para um acampamento, ele decidiu brincar com um "cachorrinho legal" e teve a mão mordida por um texugo. Chegamos a pensar que ele havia contraído raiva, mas acabamos descobrindo que o homem só desenvolveu um tique nervoso.

Peguei meu canivete suíço com o abridor de latas embutido e tirei a tampa de duas latas de feijão. Não tínhamos uma vasilha, por isso pusemos as latas no chão e as esquentamos perto do fogo.

Dividimos os ovos cozidos e esperamos o feijão esquentar. Pensei em Fisher Auden. Lembrei-me de seu rosto feliz na foto na estante de troféus, aquela em que ele segurava sua taça de campeão. Queria perguntar a Early sobre o irmão, mas achei que isso poderia incomodá-lo, e ali não tínhamos uma vitrola para ele se acalmar ouvindo ruído branco.

Além do mais, era tarde e nós dois estávamos cansados. O feijão caiu bem, e, com o estômago cheio e o calor da fogueira, deitamos em silêncio, Early de um lado do fogo, eu do outro. Aquilo me fez lembrar do silêncio doloroso e desconfortável depois da morte de minha mãe. Todos os meninos do time de beisebol assinaram um cartão, mas ninguém disse nada. Ninguém se aproximou. Ninguém nem mesmo me encarou. Era como se eu tivesse uma doença contagiosa, como se, de alguma maneira, o que havia acontecido comigo pudesse acontecer com eles também. Exceto Melvin Trumboldt. Ele foi à minha casa e me encontrou colhendo pepinos na horta que minha mãe mantinha no jardim. Foi a primeira pessoa da minha idade a aparecer ou falar comigo. E disse:

— Sinto de verdade por sua mãe.

Aquilo foi muito importante para mim.

O fogo havia se transformado em brasas brilhantes quando, finalmente, encontrei coragem para falar.

— Lamento, Early, por seu irmão.

Ele virou de lado e disse:

— Tudo bem. Nós vamos encontrá-lo.

A resposta me confundiu.

— Quer dizer que não sabe onde ele está enterrado?

— Ele não está morto, Jackie. Só perdido.

Eu me sentei.

— Como assim não está morto?

— Exatamente como Pi. Você não percebeu que Fisher e Pi estão fazendo a mesma jornada? — Early pegou a mochila e tirou dela o diário com capa de couro. — Lembra quando Pi começou a viagem, mas o mar sabia que ele não estava preparado? Pi ainda precisava aprender muitas coisas. Bem, olha. — Ele mostrou um cartão-postal de Dover, Inglaterra. — Fisher fez o mesmo. Ele conta aqui que estava aprendendo muitas coisas que precisava saber, como comer durante uma fuga, fugir enquanto dormia e dormir em pé. Aposto que Pi não sabia nem como fazer isso — Early comentou com o orgulho de um irmão mais novo.

— Bem, sim, o nome disso é treinamento militar, Early. Todos os soldados têm que fazer.

— E veja aqui — Early continuou, como se eu não tivesse falado nada. — Depois que Pi construiu um barco, ele partiu em uma grande viagem.

— Deixa eu adivinhar. Fisher embarcou em um navio com a tropa e navegou em direção ao poente.

— Não era poente. Eu vi em um jornal daqueles que passam antes do filme no cinema Anchor. Foi de manhã bem cedo, ainda estava escuro, e eles zarparam em barcos que se moviam tanto na água quanto na terra. Olha aqui. Foi no dia 6 de junho. No verão retrasado.

— Está falando do Dia D? Foi no dia que invadiram a Normandia. Mas não é a mesma coisa que...

— E lembra quando Pi chegou àquela praia e o povo foi hostil? Lembra como jogaram paus e flechas? Bom, olha só isso.

Early me mostrou um velho artigo do jornal *Press Herald*, de Portland, que dizia:

**FORÇAS ARMADAS INVADEM
AS PRAIAS NA NORMANDIA
ALEMÃES RESPONDEM COM FORÇA MORTAL
MUITAS BAIXAS NO PRIMEIRO DIA**

— "Muitas baixas", Jackie. Isso significa que os alemães mataram muitos deles. Mas não Fisher. Eles não o acertaram.

Eu não conseguia acreditar no que estava ouvindo. Early criava a história de Pi para reproduzir o que sabia da vida do irmão no Exército.

Eu queria dar um soco na cara de Early, mas, ao mesmo tempo, meu coração estava partido por ele.

Tentei lembrá-lo dos fatos.

— Mas as plaquinhas de identificação. A carta.

— Eles tentaram me convencer de que Fisher estava morto. Não deviam saber que meu irmão disse que voltaria. Foi o que Fisher me disse antes de partir. E agora ele está procurando a Ursa Maior, como Pi. E quando encontrá-la, não estará mais perdido.

A Ursa Maior. Agora estava claro. O Grande Urso Apalache.

— Early, você precisa me ouvir com muita atenção. Está me escutando?

— Sim, Jackie, estou.

— Todos eles dizem que vão voltar. Todo soldado fala isso. E é o que eles pretendem fazer. Eles querem acreditar nisso. Mas... nem todos voltam.

— Eu sei que alguns soldados morrem. Mas Fisher ainda está vivo. E ele vai voltar. Vê aqui? — Early falou, tirando da mochila mais recortes de jornal e anotações. — O esquadrão dele tinha que explodir a ponte Gaston sobre o rio Allier, no centro da França. Com a direção da correnteza e o fato de aquela noite ter sido de lua cheia...

Eu não me preocupava mais em proteger as teorias e os sentimentos de Early. Estava cansado daquilo.

— Ele não vai voltar! — gritei.

— Vai, sim.

— Não, não vai.

— Vai, sim.

— Early, Fisher está morto!

— Não está.

Caramba! Isso vai durar a noite inteira.

— Olha. Você tem as placas de identificação dele. Recebeu uma carta do Exército. Exatamente como todas as famílias dos soldados daquele pelotão receberam as plaquinhas e a carta. Por que você se considera tão especial que seu irmão vai voltar para casa, se os outros não vão?

— Porque Pi não está morto, e se Pi não está morto, Fisher também não está! — Early abraçou os joelhos e começou a se balançar para frente e para trás.

— Ahhh — suspirei. Era por isso que Early estava tão determinado em provar que o Pi de sua história ainda estava vivo. Por isso o perturbava tanto a sugestão do professor Stanton sobre o fim do número. Early havia dito que não inventava a história de Pi, que só a lia. Não acreditei nele. Achava que ele *realmente* inventava uma história.

Até aquele momento.

Em parte, era o jeito como Early contava a narrativa, com palavras que não pareciam ser dele. Mas, principalmente, era sua capacidade de *controlar* a história. Se Early precisava de Pi vivo para Fisher estar vivo, por que não criava a história desse jeito? Porque não podia. A história não era dele. O garoto só a contava, traduzindo o que lia nos números.

Ele precisava que os números continuassem, que a *história* continuasse, e precisava de Pi vivo. Porque na sua cabeça estranha, revirada e fascinante, se Pi estivesse morto, Fisher também estaria. Eu sabia que não fazia sentido algum. Sabia que era loucura, mas como discutir com Early? Queria ter também alguma história maluca para me fazer pensar que minha mãe ainda estava viva e que um dia ela voltaria. Mas meu cérebro não funcionava desse jeito.

Deitei com o coração disparado. Enquanto olhava para as estrelas, entendi que, ao me juntar a Early naquela jornada, eu certamente havia me metido em mais do que imaginara. Mas sabia que não estava preparado para recuar. Não me entenda mal. Eu não perpetuava nenhum sentimento de fidelidade, dever, honra ou qualquer outra dessas palavras que Early gostava de repetir por aí. Era só curiosidade e talvez um pouco de medo de me perder sozinho. Eu não precisava continuar ou completar a jornada. Não, era Early quem não conseguia nem deixar uma rã para trás. Eu teria abandonado Bucky sem pensar duas vezes.

E, nesse caso, teria sido uma ótima ideia, porque, na manhã seguinte, Bucky estava morto.

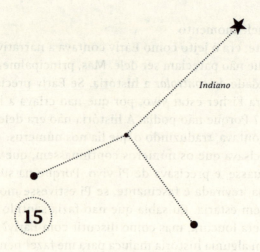

Indiano

15

No amanhecer cinzento, chutei um pouco de terra sobre o fogo, que já havia morrido há muito tempo, e pegamos nossas coisas sem falar nada. A parte do "sem falar nada" era boa, porque eu tinha certeza de que havíamos discutido o suficiente na noite anterior. Além do mais, Early estava de luto.

Ele deixou Bucky sobre uma resistente folha de bordo e o colocou para boiar no rio. A correnteza o levou para longe, o que poupou o pobre menino de ver seu animal de estimação ser engolido por uma truta de sete quilos.

Um grande "Eu avisei" dançava na ponta da minha língua. Mamãe costumava dizer "Não jogue sal na ferida, ou o gosto nunca vai sair de sua boca". Por isso, fiquei de boca fechada.

Eu estava pronto para seguir viagem, mas Early disse que precisávamos de uma música para o funeral. Deixei escapar um suspiro e esperei ele começar a cantar "Amazing Grace", ou "Rock of Ages". Mas assim que ele começou a entoar uma versão emocionada e muito desafinada de "Up a Lazy River", percebi que era segunda-feira. Louis Armstrong, portanto.

A canção foi uma bela despedida para o velho Bucky, e depois levamos o *Maine* para a água e ocupamos nossas posições. Meus braços e minhas pernas, frios e enrijecidos depois de uma noite dormindo no chão duro, praticamente gemeram quando dei as primeiras remadas pela névoa matinal. Infelizmente, não levamos a mistura de cera, mel e vinagre. Early, no entanto, parecia dedicar um momento a se arrumar, porque passava um tipo de unguento ou loção que transportava em uma lata redonda e chata. A atenção meticulosa voltada para a cobertura de cada área de pele exposta me enervava. Primeiro o nariz e as orelhas, depois o pescoço, as bochechas, as mãos e os tornozelos. Quando ele aplicou mais loção às orelhas, não aguentei.

— Que negócio é esse? — resmunguei. — Tem cheiro de graxa de sapato.

— É feito com Mentholatum, suco de limão e sabão para couro. É para manter os insetos longe.

— Insetos? Que insetos? — Assim que fiz a pergunta, tive a forte sensação de que sabia o que estava por vir.

— Lembra aquela parte em que Pi encontra uma nuvem de insetos? Eles não devem estar muito longe, e não gosto de ser picado por insetos.

Eu me lembrava daquela parte. Na verdade, devo ter ouvido a história de Pi com mais atenção do que pensava. Os insetos, os tubarões, o furacão. Lembrava-me de tudo.

Sorri para Early. O tipo de sorriso que damos para uma criança pequena que ainda acredita na Fada do Dente.

— Bom, então espalhe bem a loção. Fique sentado aí direitinho e não deixe os insetos se aproximarem. — Se estivesse mais perto, acho que poderia ter afagado o cabelo dele.

Remei com a neblina se tornando mais intensa à nossa volta, e de repente...

— Ai! — Dei uma tapa em minha nuca. E outro na mão. E mais um no tornozelo. Não era neblina; era uma nuvem de pernilongos, ou mosquitos famintos, ou moscas tsé-tsé. Early continuava sentado e calmo, aparentemente indiferente aos insetos.

— Ai! — repeti, e bati no rosto. — Não é época para tanto mosquito!

— O outono tem sido mais quente que o normal — respondeu Early olhando por cima da lateral do barco. — O nome disso é veranico. É o oposto de um inverno amora.[1]

— Rápido! Me empresta essa coisa! Estou sendo comido vivo!

Early jogou a lata para mim e continuou concentrado na água, olhando com atenção para o estibordo do barco, depois para o nosso abrigo.

— Shh — cochichou ele com um dedo tocando os lábios.

— O quê? Você acha que minha voz vai atrair mais insetos? Já estamos bem no meio da nuvem.

— Não os insetos — sussurrou ele, sem desviar os olhos da água. — Tubarões.

Olhei para ele. Até abri a boca para explicar que tubarões não habitam rios de água doce. Mas depois de espantar mais um inseto, fechei a boca, agarrei os remos e comecei a remar com vigor.

O rio Kennebec se estendia por quilômetros diante de nós. Depois que passei o repelente de insetos de Early, as criaturas me deixaram em paz, e consegui remar até sairmos da nuvem. Às nove horas, a névoa havia se dissipado, e o ar à nossa volta era fresco e claro. Sempre amei o outono em minha antiga casa, com aquele ar gelado da manhã, o sol da tarde aquecendo as tábuas da varanda da frente, tigelas de chili fumegante e, é claro, beisebol. Sentia uma dor familiar voltando, e não a queria. Precisava de alguma coisa para me distrair.

— Então, Early, por que não me conta as últimas aventuras de Pi? O que tem acontecido no mundo dele ultimamente?

---

[1] Expressão coloquial usada no Sul e no Centro-Oeste dos EUA, refere-se a uma onda de frio que ocorre no final da primavera, quando as amoras estão florescendo. Acredita-se que esse frio ajuda no crescimento delas. [As notas são do Editor.]

— Só restam alguns números que eu conheço, e não decorei todos. Algumas partes eu consigo contar de cabeça, mas, em outras, preciso ler os algarismos. Depois disso tenho que deduzir os outros números, mas é preciso muito cálculo.

Isso me fez pensar: *como* Early lia aqueles números? Agora estava claro para mim que ele não inventava uma história, fingindo tirá-la dos números. Eu devia saber que Early não era adepto de brincar de faz de conta. Ele podia pensar coisas malucas, incríveis, mas *acreditava* nelas.

— Você pode me ensinar a ler os números? — perguntei.

— Não acredito que isso é algo que se possa aprender. Ninguém me ensinou. Eu sempre vi os números de um jeito diferente da maioria das pessoas, só isso. Fisher diz que é um dom. Ele diz que quando vê os números que começam com 3,14, só enxerga um monte de algarismos que não significam nada mais que números. Isso me deixou triste por ele. Para *mim*, eles são azul e roxo, areia e mar, áspero e liso, barulho e sussurro, tudo ao mesmo tempo. — Ele parou para respirar por um momento.

Eu queria poder ver tudo o que ele conseguia ver: cor e paisagem, textura e som.

Passamos embaixo de uma nuvem de chuva que derramou alguns pingos sobre nós. Aquilo me fez pensar em Billie Holiday e em sua voz intensa. Ela era capaz de cantarolar sem palavras, e dava para ouvir a tristeza, a dor, o sentimento. Aquilo me fez pensar.

— Talvez seja como ouvir música — falei. — Como uma canção faz você sentir coisas sem precisar usar uma palavra. Havia uma música no funeral da minha mãe. Era em latim, eu não entendi nada, mas os sons se fundiam e a melodia subia e descia, e aquilo era suficiente para fazer uma pessoa chorar... se ela fosse propensa a esse tipo de coisa. — Pisquei com força.

— Por que o Kansas não é colorido?

— Nós temos cor.

— Não têm, não.

— Sim, nós... — Ah, de novo não. — Por que você acha que não temos cores?

— Porque em O *Mágico de Oz*, o Kansas é todo preto, branco e cinza. Não tem cor até Dorothy chegar a Oz.

— Ah. — Eu ri. — Aquilo é só no filme. O Kansas tem muitas cores. Especialmente no outono. — Deixei a lembrança da estação voltar. — O céu é de um azul lindo.

— Como o oceano?

— Mais ou menos. Minha mãe dizia que, se o mundo fosse virado de cabeça para baixo, daria para mergulhar no céu e nadar nele. E o trigo antes da colheita é um cobertor dourado de ondas e tremulações.

— Que bacana. Que barulho faz?

— É só trigo balançando. Não faz barulho nenhum. — Mas pensei melhor. — Bom, acho que se você ouvir com muita atenção, faz um ruído do tipo "shuush".

— E se você ouvir com mais atenção ainda?

— Bom, se ouvir com mais atenção... — Fechei os olhos e continuei remando. — Acho que o som seria feliz e pleno, como Benny Goodman e sua banda tocando "In the Mood". E seria uma música para fazer você dançar. — Continuei de olhos fechados, confiando em Early para me guiar, caso eu saísse do curso. — E tem todas aquelas coisas de outono na horta da minha mãe e no pomar dos Bentley. — Podia praticamente sentir a terra sob as mãos. — As abóboras têm uma cor viva, as maçãs vermelhas são doces, e tem muito verde, é claro. E tudo isso acaba tendo um som de "hummmm". Torta de abóbora, guisados de carne e torta de maçã com canela. E as árvores...

— Sim, as árvores — disse Early.

Abri meus olhos. Sempre gostei do brilho das folhas mudando de cor onde eu morava, mas aqui... nunca estive tão cercado de árvores como agora, todas com as folhas mudando de cor, se tingindo de laranja-brilhante, amarelo-intenso e vermelho-flamejante. Florestas inteiras de árvores que pareciam arder em chamas.

Eu me apoiei no remo, grato por aquilo e pelo momento em que podia absorver todas essas coisas. Early havia me permitido vislumbrar o que ele via, ouvia e sentia por intermédio dos números. E havia nisso uma beleza que era calorosa e real.

— Se a cor pudesse ser som — falei —, acho que essas árvores estariam tocando uma sinfonia completa.

— Uma sinfonia de Mozart —respondeu Early —, se fosse domingo.

Remamos num silêncio satisfeito, ouvindo os sons de todas as cores à nossa volta, até que uma embarcação surgiu em um canal secundário e se aproximou do nosso barco. Havia sete ou oito rostos barbados e curtidos de sol olhando para nós.

Os rostos pertenciam a homens que formavam um bando maltrapilho, homens que se debruçaram sobre a grade da embarcação com os braços cruzados. Mesmo de longe, dava para sentir o cheiro ruim deles, e pareciam estar afastados da civilização há um bom tempo.

Apenas olhavam para a gente, e imaginei que esperavam que falássemos primeiro. Então o grupo se abriu, e um sujeito enorme se adiantou. Ele apoiou as mãos à grade da embarcação e olhou para nós. Árvores densas se debruçavam sobre o rio Kennebec, permitindo que alguns raios de luz atravessassem os galhos e as folhas por baixo dos quais passávamos. Foi nesses flashes que consegui ver o rosto do homem, marcado por uma cicatriz de um lado e com um tampão preto sobre o olho esquerdo.

— Vocês têm um belo barco aí, rapazes. — Seu rosto foi repuxado por um sorriso contorcido. — Parecem estar remando há um bom tempo. O que acham de amarrar seu barco atrás do nosso para levarmos vocês corrente acima por um trecho?

Early prendeu a respiração. Seus olhos se arregalaram. Parei de remar, e o *Maine* ficou um pouco para trás em relação a eles. Distância suficiente para Early cochichar o que estava pensando.

— Piratas!

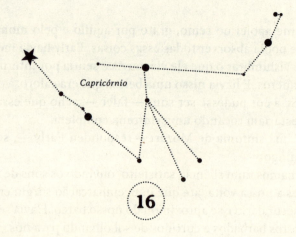

Capricórnio

16

Mais rápido do que poderíamos ter dito "Jolly Roger", fomos puxados para dentro da embarcação, e o *Maine* foi amarrado a uma corda para ser rebocado. Um dos homens de olhos saltados segurou as costas do casaco de Early e o jogou no canto da embarcação, ao lado de dois cães sonolentos. Um deles nem levantou a cabeça; o outro olhou para o garoto de passagem e continuou se lambendo de uma forma que minha mãe teria considerada imprópria. Depois ele me colocou no mesmo canto, e os dois cachorros rosnaram baixinho.

O homem de olhos esbugalhados vasculhou a mochila de Early e de lá tirou uma maçã. Ele pegou uma faca suja do bolso e a limpou na calça. Cortou um pedaço da fruta e o comeu na nossa frente.

Sim, era grosseiro mastigar de boca aberta e não oferecer o que estava comendo, mas, se ser grosseiro era a definição de um pirata, meu tio Max seria membro de carteirinha, inclusive com a perna de pau e o papagaio empoleirado no ombro.

Não, esses homens eram só gente rústica da floresta nos dando uma carona rio acima. Porém, o sujeito com a maçã na mão olhava para nós muito atentamente, e parecia determinado a não permitir que movêssemos um músculo sequer. Ele vasculhou nossas mochilas mais um pouco e deu a impressão de gostar da bússola de Early. Depois de admirar a caixa brilhante, guardou-a no bolso e jogou as mochilas aos nossos pés.

A embarcação seguiu viagem tossindo e engasgando, cuspindo jatos de fumaça em nosso rosto. Pensei em perguntar se poderíamos ir para o outro lado do barco, longe do motor, mas desisti. Em vez disso, foi Early quem falou:

— Tem rum?

O homem não respondeu. Só continuou comendo a maçã. Dei uma cotovelada em Early para tentar fazê-lo ficar quieto, mas ele continuou:

— Piratas gostam de rum. Nunca experimentei, mas ouvi dizer que faz sua barriga pegar fogo. É isso que você sente? — Nenhuma resposta. — Às vezes, minha barriga pega fogo, mas quase sempre são gases. Não é bom, por isso acho que não vou gostar de rum. Você acha que gostaria de rum, Jackie?

— Não. Fique quieto e deixe o homem comer a maçã em paz — sussurrei.

— Mas aquela é nossa última maçã.

— Então, deixe o homem comer nossa última maçã em paz.

Early finalmente calou a boca e continuamos subindo o rio lentamente. Não sei se era a fumaça de combustível ou só cansaço, mas minhas pálpebras ficaram pesadas, e quando dei por mim, já era quase noite. O motor da embarcação estava desligado, e eu ouvia o ruído da lateral do barco batendo contra alguma coisa, talvez um deque de madeira.

— Early — cochichei. Ele estava caído sobre mim e respirava profundamente. — Early — repeti, sacudindo-o. Peguei as mochilas. — Vamos sair daqui.

Ele se mexeu, mas quando estávamos levantando, ouvimos uma voz gritar:

— Olson, vai buscar os meninos! — Era um sujeito durão, cujos sapatos faziam tanto barulho quanto uma perna de pau. — Faça-os levar os barris e ponha os dois no caminhão.

Olson era o homem que tinha nos vigiado. Ele voltou e apontou para uma pilha de barris de tamanho médio.

— Peguem os barris e levem para o caminhão — ordenou, como se não tivéssemos acabado de ouvir Long John Silver dizer a mesma coisa.

Early tentou levantar um barril.

— São pesados. O que tem neles?

— Não interessa — respondeu Olson. — Faça o que eu mandei.

— Aposto que é rum. Piratas gostam de rum.

Um a um, Early e eu levamos os barris para a carroceria de um caminhão parado no fim do deque. A noite era escura, e com apenas uma lamparina a gás presa à balaustrada do cais, não conseguíamos ler os rótulos dos barris. Minha esperança era de que não fizesse diferença de que lado os colocávamos no caminhão, porque eu não sabia se estavam de cabeça para baixo ou não. Além do mais, era bem provável que os barris caíssem, porque o assoalho da carroceria tinha muitos buracos e tábuas podres.

É claro que Early, que tinha uma curiosidade maior que aquela que matou o gato, subiu no caminhão com a lanterna e começou a olhar tudo, o casaco vermelho com estampa xadrez surgindo aqui e ali entre os barris, até que Olson o pegou.

— Sai daí, garoto — mandou ele, com raiva.

— Tudo bem — respondeu Early. — Mas saiba que quem vendeu esse rum para vocês deve estar rindo bastante, porque os barris estão secos.

— Ah, é? — Olson aproximou um cantil dos lábios. — Que bom que tenho um pouco bem aqui, então.

— Você tomou uns goles? — perguntou Early. — Quero saber se está bêbado. Também pode dizer que está "tonto", "embriagado" ou "ébrio". Mas meu favorito é "bebum". O zelador da escola bebe um pouco demais nos fins de semana. Ele diz que "entorna a garrafa". Você já entornou a garrafa?

Olson só olhou para Early com o cantil a meio caminho da boca. Garrafa entornada ou não, aquela parecia ser uma boa oportunidade para fugirmos dali.

— Nós gostaríamos que devolvessem nosso barco agora, para podermos seguir viagem — falei, mesmo imaginando que não seria tão fácil.

— Ah, que bom. Por que não vão ao Bear Knuckle — ele apontou um barraco na encosta de uma colina — e dizem isso ao chefe? Tenho certeza de que ele vai entregar o barco na mesma hora.

— Qual é o nome dele? —perguntou Early.

— Do chefe? MacScott.

— E o nome de pirata? — Early insistiu, sem demonstrar nenhuma decepção.

— Ah, entendi — respondeu Olson. — Tapa-olho. Pirata. Você é engraçado, moleque. Ele é capaz de ser bem desagradável, mas acho que ainda não tem um nome de pirata.

Olson entrou no caminhão, ligou o motor e depois engatou a marcha. Ele se afastou do deque e começou a subida lenta da montanha, batendo em todos os obstáculos e pedras no caminho. Early e eu fomos deixados na escuridão.

— MacScott Mutilado —suspirou satisfeito Early. — É um bom nome de pirata. Aposto que o primeiro nome dele é Darius. Que nome de pirata você acha que seria bom para Olson?

Eu não queria saber que nome de pirata ele teria, mas decidi que Early mudaria de assunto mais depressa se eu respondesse.

— Sr. Bebe Demais — sugeri.

— Sr. Bebe Demais — considerou Early. — Gostei.

— Agora vamos — falei, tentando pensar em um jeito de pegar o *Maine* de volta sem ter que encarar MacScott de novo.

— Mas estamos nos aproximando, Jackie.

— Do quê? De termos a cabeça cortada na guilhotina?

— Não, Jackie. Piratas não fazem isso. Podem enforcá-lo, arrancar suas entranhas ou cortar sua garganta, pendurá-lo de cabeça para baixo e deixar os pássaros arrancarem seus olhos, ou jogá-lo aos tubarões, cortar sua língua, ou...

— Tudo bem, Early. — Eu o interrompi antes que ele sugerisse mais cento e dez tipos de morte e tortura.

— Vamos procurar o pirata MacScott — anunciou Early.
— Talvez ele saiba alguma coisa sobre o grande urso.

Aparentemente, não havia mais nada a fazer senão o que Olson sugerira: procurar MacScott e tentar recuperar nosso barco.

Early e eu andamos cerca de quinze metros colina acima. Chegamos ao que poderia ter sido uma estrada, mas agora era só o leito seco de um riacho que facilitou a subida de alguns caminhões e uma velha motocicleta até a casa que parecia prestes a desmoronar.

Através da luz da lua, vimos, pela primeira vez, a hospedaria Bear Knuckle. Quando Early e eu entramos, MacScott e dois de seus homens estavam sentados ao balcão do bar, e do outro lado havia uma garota magra cuja aparência inspirava piedade. Havia também cabeças de animais penduradas em todas as paredes: alce, cervo, rena. A cabeça de um urso com os dentes à mostra numa expressão ameaçadora parecia estar saltando de um lugar de destaque bem em cima do balcão.

É claro que duas crianças entrando em um bar chamariam atenção, mas quando Early e eu cruzamos a porta daquele estabelecimento, todo mundo parou com o copo de uísque na mão.

Comecei a puxar a manga de Early, um gesto que, todo mundo sabe, significa "Vamos sair daqui!". Todo mundo menos Early, é óbvio.

— Você tem um belo urso aí. — Ele apontou para a cabeça de animal na parede. — Por acaso algum de vocês viu um urso diferente pelas redondezas? — perguntou naquela voz alta demais. — Estamos procurando o urso sobre o qual lemos nos jornais.

Isso era novidade para mim, mas consegui juntar os pedaços do raciocínio dele. Pi estava sempre tentando ficar de olho na constelação de Ursa Maior. Era a luz que o guiava. Então, fazia sentido, de um jeito Early de ser, que ele seguisse o Grande Urso Apalache para encontrar Pi.

Os sujeitos grandalhões em seus casacos pesados se entreolharam, enquanto a menina atrás do balcão limpava um copo com um pano sujo.

— Early, vamos. — Eu o puxei pela manga.

— Ele deve ser parecido com esse que você tem aí, só que bem maior.

MacScott riu, um chiado de fumante, os dedos enrugados segurando uma caneca de cerveja. Olhando para a bebida, sem se virar para nós, disse:

— Ele tem o dobro do tamanho desse aí.

— Você o viu, então? Ele ainda está vivo? — perguntou Early.

Os ombros de MacScott se encurvaram. A mão dele tremeu levemente, fazendo o líquido dançar na caneca.

— Vivo? — E levantou o tapa-olho ao olhar para nós.

Eu me encolhi como se tivesse levado uma bofetada. À luz pálida do entardecer, quando MacScott e seus homens haviam tomado nosso barco, as sombras encobriam seu rosto. Agora, com a iluminação do bar, eu conseguia ver suas cicatrizes horríveis. Faltava-lhe um olho, e o buraco vazio era deformado e repuxado. Impossível saber ao certo quantos anos ele tinha. Velho o suficiente para ser avô, embora eu não conseguisse imaginá-lo nesse papel.

— Vivo? — Ele repetiu a pergunta como se não conseguisse decidir. — Como a maioria dos demônios, está mais morto do que vivo.

— Foi o urso que fez isso com você? —perguntou Early.

O homem bebeu um gole.

— Sim. — Depois sorriu, a pele repuxada e brilhante. — Mas não antes de eu matar o filhote e enfiar umas balas nele. Arranquei seu olho esquerdo, então, estamos quites, podemos dizer. — Ele apoiou a mão no cabo do rifle, que estava apoiado ao balcão. — Quero acabar com ele e receber a recompensa. As pessoas estão com tanto medo, que logo o valor vai chegar a mil dólares. — Ele bebeu o que restava e deixou a caneca em cima do balcão. — Mais uma — pediu, virando de costas para nós.

A menina parou de tentar arrancar com a unha alguma coisa que sujava o balcão, serviu outra dose de bebida e olhou para Early e para mim por entre os cabelos ruivos.

Eu queria ir embora dali. Havia uma dureza naquele lugar. Eu já tinha estado entre pessoas bêbadas, mas, normalmente, era um tipo de bebedeira festiva entre amigos em um casamento ou piquenique de Quatro de Julho. Essas pessoas não eram festivas. Esses homens preferiam beber sozinhos, em um lugar fechado, sem tirar o casaco.

— Seu nome é Darius? — perguntou Early. — Eu acho que seu nome é Darius.

— E eu acho que meu nome não é da sua conta — resmungou MacScott.

Tínhamos que sair dali antes de Early levar aquele homem meio maluco à loucura completa.

— Se puder devolver nosso barco, vamos embora agora mesmo — eu disse.

MacScott bateu com o copo no balcão, respingando bebida sobre a superfície.

— Aquele barco agora é *meu*. — Ele permanecia de costas para nós quando assentiu para os dois homens sentados ao balcão. — Cuidem deles.

Os dois grandalhões levantaram e nos seguraram pelo casaco. Não pareciam interpretar a instrução de MacScott no sentido de preparar um banho morno para nós, servir canecas de cidra quente e nos acomodar em camas fofas de penas para uma confortável noite de sono. Quando eu já imaginava um ninho de víboras sibilantes, Early falou:

— Querem ouvir uma história? — Ele me cutucou com o cotovelo e cochichou com um tom que todo mundo podia ouvir: — Lembra-se, Jackie, de como os piratas gostam de histórias? — E olhou de novo para MacScott. — Conheço alguém que está procurando o grande urso, e vai encontrá-lo antes de você.

MacScott levantou da banqueta e caminhou em nossa direção. Ele aproximou o rosto do nosso, de forma que podíamos ver cada cicatriz, cada buraquinho delas.

— Se alguém é louco o bastante para ir atrás daquele urso, vai precisar de uma razão melhor que a recompensa. Aquela criatura é assassina.

Porém, havia na voz dele um desconforto ao mencionar outra pessoa que também procurava o animal.

— Early, vamos — falei com mais firmeza. — Temos que sair daqui agora.

— Ele só está tentando nos assustar — Early respondeu quando o puxei para longe de MacScott.

— Bem, ele está fazendo um ótimo trabalho.

— Esse alguém que está procurando, ele sempre esteve de olho na Ursa Maior —continuou Early. — Mas se perdeu.

— Eu já imaginava. — As palavras de MacScott eram enroladas. — É preciso muito esforço para rastrear aquele urso. Ele vai atrair você para a floresta fechada, depois vai fazer uma volta e inverter as posições, ficar atrás de você. — Ele levantou a caneca de cerveja, olhando para o líquido turvo como se pudesse encontrar o grande urso ali.

— Pi, é esse o nome dele — Early explicou a MacScott e seus homens. — Ele se perdeu. Mas se lembrou de uma história sobre um antigo cemitério, grandes cavernas cheias de água onde as pessoas iam enterrar seus segredos sombrios e os tesouros que pudessem ter.

MacScott olhou para Early com um interesse repentino, os olhos brilhando.

— Continue — disse ele. — Fale mais sobre essa caverna. Esse lugar de segredos e tesouros enterrados.

Ele acenou para a moça atrás do balcão, que começou a preparar sanduíches e sopa quente e encheu os copos com mais cerveja e uísque.

Early continuou sua história, começando em um lugar de que nunca ouvi falar.

TERRA DE ALMAS PERDIDAS
•····• *A história de Pi* •····•

Pi estava perdido. Navegava sob estrelas que não reconhecia. A Ursa Maior se esquivava. Ele sabia que havia viajado para o sul, e, naquele céu estranho, havia um grupo de estrelas que formava o que parecia ser uma cruz, talvez uma lança. Mas que importância tinha isso? Não havia para onde ir. Ninguém para encontrar. O colar de conchas feito pela mãe havia se tornado um fardo pesado, um peso que ele não suportava mais carregar. Ele o tirou do pescoço e guardou em uma bolsa que levava pendurada a tiracolo.

Mas ele se lembrou de uma história que ouviu dos Pensadores. Eles falaram de um antigo cemitério. Um lugar de grandes tumbas cavernosas. Catacumbas, eles as chamavam, onde os mortos eram postos para o repouso eterno. Mas nem todos eles descansavam.

Muitos levavam seus fardos de vida e vagavam pelas catacumbas tentando se livrar deles. Essas almas tentavam consertar o que não tinha conserto. Elas vagavam pelos salões de tumbas rochosas, dizendo coisas que gostariam de ter dito ou tentando retirar o que preferiam não ter falado. Iam de um lado para o outro tentando refazer os passos de que se arrependeram, ou procurando o caminho que não escolheram.

Quando Pi ouviu falar desse lugar pela primeira vez, ele lhe pareceu horrível. Um lugar onde almas desesperadas tentavam encontrar significado para acontecimentos aleatórios da vida. Pi tremeu ao pensar nas catacumbas e desejou nunca ir a um local tão miserável. Mas agora as cavernas, a escuridão, as almas — tudo o chamava para se juntar às fileiras, vagar pelo mundo de perda e pesar. Encontraria esse local. Iria se unir àquelas almas, espíritos irmãos que não tinham direção ou esperança. Levaria seus fardos para lá.

Depois de navegar por muitos meses sem direção, ele foi levado pelas correntes do oceano até uma praia rochosa. Era bom ter os pés em terra firme. Nada mais do balanço sobre as ondas. Então, abandonou o barco e seguiu em frente. Andou e andou. E, na medida que se dirigia para o interior, as árvores se tornavam maiores e mais grossas à sua volta, cercando-o por todos os lados. A folhagem densa apagava o brilho do sol. Folhas caídas abafavam os sons ao seu redor, de forma que ele conseguia ouvir a própria respiração e, com algum esforço, as batidas de seu coração. Era como se o mundo ficasse menor em torno dele. Mas a sensação era estranhamente reconfortante.

Então, ele percebeu que não estava sozinho. Primeiro foi só um movimento, um farfalhar de folhas ou um galho balançando. Depois um lampejo, algo passando longe do alcance de seus olhos. Após algum tempo, ele os viu. Pessoas de verdade, mas que também não eram reais. Pi conseguia vê-las, mas elas eram meio transparentes, como se fosse possível vê-las, mas enxergar através delas ao mesmo tempo.

Além dessa translucidez, eram só homens e mulheres cuidando das tarefas diárias de cortar lenha, lavar roupas, afiar ferramentas. Moravam perto uns dos outros, mas separados, em barracas ou choupanas. Conversavam entre si, mas apenas o necessário.

Pi acabou ocupando seu lugar entre eles, montou a própria barraca e se dedicou ao trabalho. Mas ainda se perguntava: "Quem são essas pessoas, e por que estão aqui?". Quando os observava de longe, considerava-os um grupo ao qual não pertencia. Até que um dia, quando juntava gravetos para fazer uma fogueira, ele notou nas próprias mãos uma palidez luminosa, uma transparência, e de repente enxergou tudo com clareza.

Sou um deles.

Viu aquilo nas próprias mãos tão claramente quanto via no rosto deles. O pesar, a perda, a dor. Essa era uma terra de almas perdidas. Seres humanos que haviam enfrentado grandes tempestades na vida, sofrido perdas inenarráveis, enfrentado dolorosas provações, e ainda permaneciam em pé, mas só isso. Essas pessoas, como Pi, foram atraídas para aquele lugar por correntes que mudavam de direção e ventos imprevisíveis, e todas acabaram ali pela mesma razão: enterrar seus segredos sombrios e os tesouros que pudessem ter.

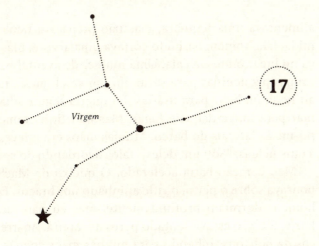

"Segredos sombrios e os tesouros que pudessem ter." As palavras entraram na minha cabeça confusa. O calor da lareira me aquecia, e com dois sanduíches de carne enlatada no estômago, minhas pálpebras pesavam. Eu me mexi na cadeira, tentando permanecer acordado. Os homens de MacScott estavam cheios de cerveja e sono, mas o olho do chefe continuava aberto, fixo, enquanto Early prosseguia com sua história. MacScott passou um dedo pela madeira do cabo do rifle, quase como se o acariciasse. Early havia capturado a atenção do pirata de um jeito que era, ao mesmo tempo, fascinante e assustador.

Eu ouvia a voz dele de uma maneira distante. Era como se eu estivesse em um barco, flutuando em meio a uma correnteza preguiçosa, com a vigília em uma das margens e o sono na outra.

O sonho ganhou a briga, e eu me senti flutuar no mundo de Pi, translúcido entre as almas perdidas. Vi o rosto dos homens e das mulheres que cuidavam de suas tarefas, mas percebi que as coisas que faziam não levavam a nada, não produziam resultado algum. Um homem jovem vestindo macacão alimentava uma fogueira, mas não preparava nenhuma comida. Um homem barbudo cortava uma árvore, mas a deixava no lugar onde ela caía. Uma mulher de avental pendurava roupas pequeninas para secar em um varal, mas... não havia ali nenhum bebê para usá-las. Eu queria seguir adiante. Remar para longe daquele lugar. Mas não tinha remos. Agarrei-me às laterais do barco. Minhas mãos eram leves e finas. Translúcidas. "Sou um deles", falei, acordando do sonho.

Meu coração batia acelerado. O queixo de MacScott repousava sobre o peito, o rifle aninhado nos braços. Ele e seus homens dormiam profundamente, mas eu não ouvia mais Early. Ele não estava sentado perto da lareira. Agarrei os braços da poltrona, olhando para minhas mãos apenas para ter certeza de que estavam sólidas. Mas meu coração continuava batendo depressa. Eu era um deles. Estava perdido. Já havia sentido aquilo antes. Na regata. Tentava remar de volta ao deque a bordo de um barco que afundava. Early havia gritado os comandos que me levaram de volta. Onde ele estava agora?

Lembrei a história de Early sobre Pi ter sido puxado para dentro do navio pirata. E, sim, a história que o herói contou no navio o manteve vivo, mas ele ainda era jogado de volta à cela do navio todas as manhãs. Eu não sabia se a hospedaria Bear Knuckle tinha uma cela ou coisa parecida, e não queria esperar para descobrir.

Então o vi. Early estava junto ao balcão, e a moça limpava canecas e copos de uísque. Ela mantinha a cabeça baixa, os olhos na água quente e espumante em que lavava um copo depois do outro.

Eu me aproximei do bar.

— Vamos, Early. Temos que sair logo daqui, antes que todos acordem.

Mas ele não me deu atenção. Só olhava para a garota como se a conhecesse de algum lugar.

— Seu nome é Pauline?

Pauline? Reconheci o nome. Era a Donzela Pálida e Sem Graça do barco dos piratas.

A moça balançou a cabeça, e uma mecha de cabelos dançou em torno de seu rosto.

— Tem certeza? Talvez seja e você não lembre.

— Acho que sei qual é o meu nome — resmungou ela.

— Venha, Early. Vamos embora.

Foi então que aquele garoto fez uma coisa que eu nunca vou esquecer. Ele estendeu a mão por cima do balcão e, delicadamente, ajeitou a mecha de cabelo sujo atrás da orelha da jovem.

Ela levantou a cabeça, assustada.

— Você tem um sorriso bonito.

— Quê?

— Seu sorriso é bonito. Você não lembra, só isso.

Ela tocou o rosto com a mão ensaboada. Ainda não sorria, não com a boca, pelo menos, mas alguma coisa mudou em seus olhos verdes. A apatia havia desaparecido, e algo brilhante e vivo tomou seu lugar. Com essa mudança e as bolhas de sabão grudadas no cabelo, havia alguma coisa... bem... bonita nela.

Mas, antes que a jovem pudesse dizer mais alguma coisa, aconteceu uma terrível explosão do lado de fora que fez todo o bar estremecer. As janelas trepidaram, e a cabeça de urso quase caiu da parede.

Foi o suficiente para acordar os clientes na hospedaria Bear Knuckle, e saímos para ver o que tinha acontecido.

MacScott, seus homens, Early e eu, todos olhamos para o topo da montanha que Olson havia subido dirigindo o caminhão mais cedo. A explosão havia cuspido uma grande bola de fogo para o alto, e havia uma trilha de fogo descendo a encosta à esquerda, depois à direita, em uma ofuscante onda amarela e laranja de calor.

— Subam lá e apaguem aquele fogo antes que ele atinja as árvores! — gritou MacScott. — Tragam o caminhão, vamos subir.

Homens corriam para todos os lados. Eu não conseguia desviar o olhar do espetáculo flamejante.

— Early — falei.

— Sim, Jackie?

— O que tinha naqueles barris? — Os barris que estavam de cabeça para cima e para baixo no caminhão velho com buracos no assoalho.

— Nada, só rum seco. Tudo transformado em pó preto.

Pó preto. Pólvora.

Devia ter caído dos barris durante toda a subida da montanha. Eu não sabia se foi a lamparina a gás ou uma ponta de cigarro que provocou a explosão, mas não tinha importância. Early não precisava de explicação quando olhou, fascinado, para a encosta da colina.

— Nunca tinha visto um vulcão.

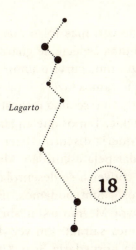

Lagarto

18

Essa era nossa chance de pegar o *Maine* e fugir de MacScott e seu bando de homens mal-encarados. Early e eu descemos a encosta para o rio, onde o *Maine* ainda estava amarrado ao navio pirata, ou melhor, ao barco de transporte de toras de madeira. Porém, quando descíamos a colina escorregando e derrapando, desviando de galhos e ramos, paramos de repente, em parte porque chegamos ao fim da descida com um baque, mas principalmente pelo que vimos. Mesmo com todo o fogo, o barulho e a comoção, Long John Silver havia descido antes de nós e já estava no barco.

Eu não sabia o que ele estava fazendo, mas envolvia muitas batidas, estalos, arremessos, trancos e palavrões. E mesmo que nos atrevêssemos a subir ao convés para desamarrar nosso barco, era tarde demais, porque a embarcação rasa e plana tossiu, cuspiu fumaça e, com o motor ganhando vida, começou a se afastar do deque. Não havia nada a fazer senão ver o barco ir embora rebocando o *Maine*.

Era uma imagem patética: o lendário barco a remo do herói morto da Morton Hill sendo levado rio acima como um grande rei capturado e tomado como refém.

Era doloroso de ver, mas foi o que fizemos, Early e eu. Olhávamos como uma espécie de guarda de honra, esperando até o *Maine* fazer uma curva e sumir de vista.

— E agora, o que vamos fazer? — perguntei, sem realmente esperar que Early tivesse uma resposta.

— Vamos lá, Jackie. Temos que andar agora.

Parte de mim queria discutir. Dizer que não poderíamos simplesmente andar pela escuridão. Mas eu já podia imaginar como aquela conversa se desenrolaria. "Sim, podemos." "Não, não podemos." "Sim, podemos." E como sempre, Early teria a última palavra. Mesmo assim, abri a boca para discutir.

As palavras nunca saíram. Em vez delas, ouvimos, lá no alto da encosta, na hospedaria Bear Knuckle, o barulho inconfundível de um rifle sendo preparado para disparar.

— Vamos — falei, e seguimos para a escuridão.

Perdemos alguns suprimentos que ficaram no *Maine*, mas Early e eu levávamos a mochila nas costas, o que significava que ainda tínhamos o essencial — o mapa, fósforos, cobertores, uma lanterna, tabaco, meias extras e muitas balas de goma. Assim, envoltos pelo brilho alaranjado da montanha em chamas, andamos. Não era tão ruim, viajar à noite. O ar era calmo, a lua estava quase cheia e, até aquele momento, não encontramos insetos, tubarões, piratas ou vulcões. O que mais uma dupla de viajantes poderia pedir?

Então ouvi um galho estalar. Parei e prendi a respiração, tentando escutar que tipo de criatura poderia nos atacar ou ameaçar, ou sibilar, ou rosnar, ou qualquer coisa no meio da noite. Mas os leões, tigres e ursos continuavam em silêncio. Ah, não. *Pode ser ainda pior. Eles podem estar espreitando.* Minha mente criava situações malucas, quando Early interrompeu o silêncio monumental.

— Jackie, você sabia que a Trilha Apalache...

— Sim — respondi, esperando evitar a lista de fatos que com certeza me esperava. — Sei que a Trilha Apalache é a mais longa do país entre as que foram criadas pelo homem e atravessa catorze estados, do Maine a Geórgia — continuei, citando uma publicação especializada em natureza que li na biblioteca da escola. — Tem aproximadamente 3.505 quilômetros de comprimento, e poucas pessoas a percorreram do início ao fim.

Parei, satisfeito com meu conhecimento, e esperei a reação de Early. Infelizmente, estava escuro demais para enxergar seu rosto, mas imaginei uma expressão meio desanimada por eu ter roubado seu momento.

— Viu? — falei. — Até um garoto do Kansas sabe uma ou duas coisas sobre a Trilha Apalache.

— Então já deve saber sobre o homem que, enquanto percorria a trilha, ficou preso em um atoleiro e teve que ser puxado por dois cavalos. E que os cavalos se assustaram tanto que quase o partiram em dois.

Agora era eu o desapontado. O conhecimento que ele tinha da trilha era muito mais interessante que o meu.

— E você sabia também que um lenhador desapareceu na trilha há alguns anos?

— Ah, não, eu não sabia. — Vasculhei minhas memórias procurando algo igualmente interessante e perturbador sobre a trilha, ou o Maine, o Kansas ou qualquer coisa, mas só tropecei na raiz de uma árvore. — O que aconteceu com ele? Com o lenhador?

— Ninguém sabe, mas, se não foi morto por algum animal selvagem, esmagado por uma árvore ou se afogou no rio, bom, provavelmente, enlouqueceu no meio da floresta. Acontece, sabe? Ficar lelé da cuca quando se perde. Eles chamam de "perder a cabeça", mas não é "perder a cabeça" de ficar muito bravo, é de ficar maluco. — Early girou o dedo em volta da orelha desenhando círculos no ar para enfatizar o significado. — Você também pode dizer "doido", "biruta", "insano" ou "perturbado". "Lunático" é o meu favorito. É como os britânicos preferem. E você, Jackie, de qual gosta mais? Prefere perder a cabeça por ficar com raiva ou de ficar maluco? Eu prefiro perder a cabeça de doido, porque dá para ficar lelé e continuar feliz. Mozart podia ser meio louco, mas sua música...

Que ótimo, pensei quando parei de ouvir o que Early dizia. Além da preocupação com insetos, tubarões, piratas e vulcões, sem mencionar um urso feroz que arrancava os olhos das pessoas, também havia a possibilidade de haver por ali um lenhador enlouquecido. Ou a chance de encontrarmos o corpo desfigurado e meio comido do lenhador. De qualquer maneira, essa viagem era cheia de coisas estranhas e perigosas. Andamos em silêncio, mas eu não conseguia superar a sensação de que éramos observados. De algum jeito, desconfiava de que ainda veríamos MacScott de novo.

Depois de algum tempo, quando não conseguíamos mais ver o fogo e só sentíamos um cheiro leve de fumaça, calculamos que estávamos longe o suficiente da hospedaria Bear Knuckle e da montanha vulcânica para podermos descansar. Estendemos os cobertores e usamos nossas mochilas como travesseiros, e logo o som da respiração e os roncos baixos de Early anunciaram que ele dormia profundamente. Eu também estava cansado. Exausto, na verdade. Mas, para mim, dormir não era tão fácil.

Permaneci acordado pensando em como cheguei ali. Como um garoto normal do Kansas ia parar no meio da floresta com um menino estranho como Early? Olhei para cima, para as estrelas, e me descobri fazendo a mesma pergunta que Pi havia feito quando partiu em sua jornada.

Por quê?

Por que tudo havia virado de cabeça para baixo? Por que minha mãe tinha que morrer? Por que estou seguindo Early, ouvindo suas histórias doidas sobre Pi, em uma caçada maluca a um urso?

Com essas questões girando em minha cabeça, queria que Early estivesse acordado para me contar uma de suas histórias. Mas sua respiração ainda demonstrava que ele estava em um sono profundo.

Talvez eu pudesse tentar lembrar sozinho alguma coisa agradável. Minha mãe era ótima para inventar histórias em uma noite fria de outubro como aquela. Fechei meus olhos com força e me imaginei quando era mais novo, aninhado em seus braços no balanço da varanda enquanto ela bebia chá de sua xícara de porcelana branca com florezinhas vermelhas. Ou, mais recentemente, sentado ao lado dela, segurando uma meada de lã que ela enrolava para formar uma bola.

Tentei ouvir a voz dela, mas o silêncio persistia. Minhas pálpebras ficaram pesadas. Quando as perguntas começaram a girar em minha cabeça como em um sonho, Early, que não dormia tão profundamente quanto eu pensava, disse:

— Os números estão acabando.

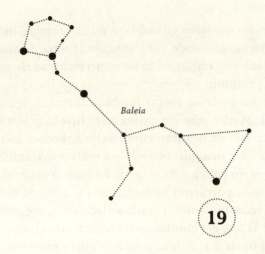

Não falamos muito na manhã seguinte enquanto recolhíamos nossas coisas. Era terça-feira. Havíamos começado nossa jornada dois dias atrás, e Early não dava sinais de pensar em voltar. Chutei um pouco de terra sobre a fogueira, e partimos.

Pouco depois, notei uma pilha de cascas de castanhas no chão. Olhei para cima e observei um carvalho alto que podia ser a casa de um esquilo faminto que havia nos espiado durante a noite. Devia ser isso. Mesmo assim, não conseguia me livrar da sensação de que éramos observados.

O céu estava nublado e cinzento, e uma névoa fina nos cercava. Sabíamos que precisávamos avançar pela mata na direção norte a fim de chegarmos à Trilha Apalache e, pelo que ouvi, não era tão fácil encontrá-la. Eu tinha lido que as árvores do local eram marcadas por um sinal ocasional de tinta branca, e que havia abrigos para os andarilhos acamparem e se aquecerem. Até então, não tínhamos visto nada disso. Só muita floresta, com ênfase no aspecto "selvagem". Na verdade, andávamos tanto e tudo era tão parecido que jurava que estávamos perdidos. Como Olson havia roubado a bússola de

Early, contávamos só com nosso senso de direção, e o meu era cada vez menor.

Early, no entanto, parecia saber o que estava fazendo. Ele tinha um mapa, mas nunca o consultava. Eu não entendia nem como ele sabia para que lado ficava o norte, porque as nuvens eram densas e escuras. Uma tempestade se formava.

Eu estava pronto para acabar com aquilo. Íamos voltar. E se Early não quisesse, eu diria que voltaria sem ele. Esperava que ele não percebesse meu blefe, porém, porque não saberia me localizar sem a ajuda do garoto.

Ergui meus ombros, virei para encará-lo e levantei a mão para fazê-lo parar. E foi então que ouvimos os cães.

Estavam longe, mas nós os escutamos latir e uivar atrás da presa que perseguiam. Eu não podia ter certeza de que estavam atrás de nós, mas até Early sentiu a necessidade de andar um pouco mais depressa.

Viramos à direita, e os latidos nos seguiram.

— Early, acho que esses cães estão seguindo nosso cheiro.

— Por que diz isso? Não temos nenhuma comida, só as balas de goma.

— Talvez eles não queiram comida. Talvez estejam apenas atrás de nós.

— Talvez estejam procurando o urso.

— Pode ser — admiti. Early deixou claro que estávamos procurando o Grande Urso Apalache. Talvez MacScott quisesse nos impedir de encontrá-lo antes dele. Mesmo assim, não pude deixar de pensar que era mais que isso. Os latidos ficavam mais altos.

— De qualquer maneira, não acha melhor cruzarmos o rio?

— Não tem ponte. Vamos nos molhar. Não quero me molhar — respondeu Early.

— Mas, se atravessarmos o rio, os cães vão perder nosso rastro. E vamos conseguir encontrar o urso antes deles.

— Eu não me importava com quem encontraria a criatura

primeiro, e não sabia o que Early planejava fazer se a encontrasse, mas o comentário foi suficiente para convencê-lo.

— Tudo bem, mas onde vamos atravessar o rio? A correnteza é forte. Pode ser perigoso.

— *Perigoso?* — repeti. — Essa é uma palavra engraçada, vindo de alguém que não pensou duas vezes em se enfiar em uma floresta atrás de um urso de trezentos quilos. Vamos lá, parece que o rio fica um pouco mais estreito nesta área, e tem algumas toras enfileiradas até aquela pedra no meio dele. Talvez dê para chegarmos ao outro lado.

Eu podia perceber que Early não queria ceder. Mas os latidos estavam cada vez mais altos, e os uivos e ganidos dos cães competiam com o rugido da correnteza do rio.

— Early! — gritei. — Nós temos que atravessar!

— Vamos procurar uma ponte. Não quero me molhar.

Nesse momento as nuvens negras se avolumaram, e o que antes era uma névoa fina se transformou em temporal.

— Pronto, já está molhado — falei. — Podemos atravessar agora?

Early piscava para se livrar dos pingos de chuva nos olhos.

— Sim, podemos.

Enquanto eu olhava para a correnteza rápida e como ela passava por cima das toras molhadas, unidas de forma precária e apoiadas a algumas pedras, percebi que convencer o garoto a atravessar seria a parte mais fácil do plano.

Eu sabia que devia ir primeiro, já que a ideia fora minha, mas estava com muita vontade de decidir aquilo no par ou ímpar. Early me poupou da vergonha.

— Eu vou na frente — disse ele, e pisou na tora mais próxima. Para alguém pouco atlético, ele era surpreendentemente ágil e seguro. Depois de observá-lo por um tempo, compreendi que não devia estar surpreso, afinal. Early era muito seguro sobre várias coisas, fossem elas verdadeiras ou não. Ele tinha certeza de que o número pi continha uma grande história. De que, ao contrário do que afirmava a teoria de um renomado matemático, o número e a história que seus algarismos contavam nunca acabariam. De que seu irmão, que havia morrido na guerra, ainda estava vivo, e de que um grande urso nos levaria até ele. E de que eu era a pessoa de quem ele queria ser amigo.

Pensando nisso, comecei a andar e segui Early Auden.

Ele estava na metade do caminho quando comecei a travessia. As toras pareciam firmes, bem presas umas às outras, e eu me esforçava para olhar para frente. Meus pés escorregavam na casca molhada dos troncos cortados. Abri os braços para tentar manter o equilíbrio, mas a mochila balançava de um lado para o outro, quase me levando para dentro da água.

Early chegou à pedra no meio da travessia, que parecia ser o motivo para os troncos amarrados. Ele virou para trás e fez um gesto para eu seguir em frente, depois continuou. Pensei que era tarde demais para a temporada de corte de lenha; caso contrário, toda a largura do rio estaria cheia de toras. Aquelas deviam ser as últimas preparadas para remoção.

Meu coração batia acelerado quando me aproximei da pedra que marcava o meio da correnteza. Subi nela. *Consegui!* Metade do caminho, pelo menos. Lá estava eu, em pé sobre uma pedra molhada no meio de um rio de forte correnteza. *Eu posso fazer isso*, pensei. E depois cometi um grande erro. Olhei em volta... e enfim "percebi" que estava em pé sobre uma pedra molhada no meio de um rio de forte correnteza. De repente, voltei ao Tronco do Dinossauro, paralisado de medo.

— Vem, Jackie. — Early, quase na outra margem, virou para me chamar.

Olhei para trás e pensei se não seria melhor voltar, mas o primeiro cachorro já havia chegado e estava latindo e rosnando. Ele gania e uivava, enfiava as patas na água e recuava, para começar a ganir de novo. Até ele sabia que não era uma boa ideia entrar naquele rio.

Virei para encarar Early e, com cuidado, pisei na próxima tora. Era escorregadia por causa do musgo, mas consegui dar mais alguns passos. Então meu pé escorregou e ficou preso entre dois troncos. Gritei de dor quando a casca áspera rasgou a pele do meu tornozelo. As toras se aproximaram um pouco, espremendo meu pé em uma prensa dolorosa. Eu puxava e puxava, mas não conseguia me soltar.

— Estou preso! — gritei.

Early começou a voltar. Usei o pé livre para forçar uma das toras, e ela se moveu. Estava quase conseguindo. Só mais um pouco e...

Os troncos se soltaram do encaixe. O mundo desapareceu embaixo de mim, e eu fui levado.

Os minutos seguintes — ou anos, não sei ao certo — foram uma confusão de água gelada e toras, pancadas e machucados, e pouco ar nos pulmões. Eu tentava agarrar um dos troncos, mas toda vez que me segurava, ele balançava e rolava como se aquilo fosse uma espécie de jogo.

A correnteza era forte, e meu corpo ficou frio e fraco. Era um jogo que eu não conseguiria vencer. Tentei estender o corpo e flutuar da melhor maneira possível. Talvez assim conseguisse um pouco mais de ar. Uma tora vinha na minha direção. Ela me acertou. Senti uma dor forte na testa.

Depois vi uma coisa e tive certeza de que estava perdendo a consciência. Primeiro foi a cor e o tamanho daquela coisa flutuando ao meu lado, como na história de Pi. Quando tentei respirar, meus pulmões se encheram de mais água que ar, e fitei aqueles olhos.

Os olhos profundos e sombrios de uma grande baleia branca.

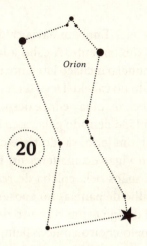

Eu tinha certeza de que havia sonhado a coisa toda. Afinal, não havia baleias em rios de água doce. Mesmo assim, a lembrança era tão nítida. A pele dela era macia, e a água passava direto por suas dobras e pregas. Senti sua animação quando ela flutuava ao meu lado, me guiando com delicadeza para fora da forte correnteza. Eu ainda via aqueles olhos, escuros e misteriosos como o oceano.

Mas, aos poucos, o sonho se apagou. Por mais que eu tentasse me agarrar a ele, à sensação de ser erguido, amparado e protegido, quase amado, tomei consciência de sons, cheiros e uma terrível dor de cabeça que não faziam parte do sonho. Contra minha vontade, meus olhos se abriram. Acordei sobressaltado e me deparei com um par de olhos fixos e vidrados que me mantinham cativo. Meu coração disparou; depois, quando a visão clareou, percebi que eram só óculos sobre a mesa de cabeceira ao lado de uma grande cama. Uma cama muito grande que me fez me sentir bem pequeno.

Pensei em Cachinhos Dourados, mas a dor de cabeça abreviou a história. Eu precisava dizer a Early...

Aliás, onde *estava* ele? Também havia caído no rio? Que lugar era esse? Sentei subitamente. A cabeça latejou com a mudança de posição. Toquei o inchaço latejante na têmpora e senti o sangue seco grudado no cabelo. Devo ter levado uma pancada bem forte de um tronco ou uma pedra e desmaiei. E meu tornozelo ardia com o esfolado deixado pela casca áspera das toras.

Entretanto, de algum jeito, saí do rio e cheguei àquele lugar, um quarto com vigas de madeira no teto e paredes de troncos. Deslizei as mãos pela colcha de retalhos que cobria a cama. Ouvi o barulho de panelas no aposento vizinho, e minha boca se encheu de água com o cheiro de carne cozinhando. Eu era atraído pelo cheiro como... bem, como um garoto que não comia há um tempão.

Levantando-me sobre a madeira fria do assoalho, fiquei aliviado ao perceber que meu pé não estava quebrado. O tornozelo doía, mas dava para andar. Tremi um pouco, pois minha camiseta e meu short ainda estavam úmidos e, sem saber quem poderia encontrar no aposento ao lado, fui espiar pela fresta da porta. Olhei para fora e tive a impressão de estar em uma espécie de selva exótica, mas, pairando sobre ela, em vez de folhas e cipós, havia peles de animais e sapatos para neve; anzóis, redes e varas de pescar; armadilhas de madeira para aves, peixes empalhados e mapas. Uma pele de urso cobria o chão, os dentes à mostra, os olhos voltados diretamente para mim.

Olhei pelo aposento procurando o casaco vermelho com estampa xadrez de Early, e notei alguma coisa no canto do olho. Quando virei a cabeça para a direita, dei um pulo para trás ao ver uma faca brilhante enterrada na parede, a cinco centímetros do meu rosto. Era uma imagem sinistra, e podia ser uma boa indicação de que ali vivia um maluco da floresta, mas eu não podia mais ficar escondido. Tinha que encontrar Early. E comer um pouco daquela carne. Mas, principalmente, encontrar Early.

Ouvi passos. Não eram passos pequenos e abafados como teriam sido os de Early. Eram grandes e pesados, como os de um gigante. Devia ser isso mesmo, na verdade, porque uma grande sombra passou pela parede lateral e escureceu tudo em seu caminho.

Agora eu me sentia menos como Cachinhos Dourados e mais como aquele garoto chamado João, o que subiu no pé de feijão mágico. Esperei a voz profunda de um gigante gritar: "Fe, fi, fo, fum!".

Mas ouvi a voz de Early, clara e um pouco alta demais, e ela me encheu de alívio.

— Você tem muitos animais empalhados aqui. Tem alguma cascavel?

— Não — respondeu o homem.

— Elefantes?

— Não.

— Você acha que é verdade que elefantes não podem pular?

Eu escutava e me perguntava se o homem já não estava farto das perguntas dele.

— Não posso dizer que vi com meus próprios olhos — respondeu o homem —, mas se houver um bom motivo, acho que um elefante encontra um jeito, não? — Ele falava com sotaque, e suas palavras ondulavam como uma baleia voltando à superfície e submergindo de novo. Uma voz clara e cheia de sentimento. Eu não saberia dizer qual sentimento. Ela me fazia pensar nos sinos da igreja que eu ouvia distantes de casa, e em como eles podiam chamar tanto para um funeral quanto para um casamento. Tristeza ou alegria, era estranho como aqueles sinos podiam dobrar pelos dois.

— Que tipo de bom motivo? — perguntou Early.

— Se ele quiser alguma coisa que está fora do alcance. Se o elefante quiser muito, você acha que ele pula para alcançar essa coisa?

Eu não sabia de onde era aquele homem, ele falava com um sotaque forte, mas quem quer que fosse, tinha jeito para lidar com Early. Não sei se alguém já havia perguntado ao estranho garoto da Morton Hill o que ele pensava.

Early ponderou um pouco.

— Se quiser muito.
— Então.
— Sabia que o robalo de boca grande não tem a boca grande e nem é um robalo? É um peixe-lua — disse Early.
— Não diga! Nunca ouvi nada disso em toda minha vida.

Minha curiosidade venceu. Saí do quarto atraído pelo calor, pelos cheiros e pelas vozes.

Lá, ao lado de uma grande lareira de pedra, sentado sobre um caixote de madeira muito firme, estava o maior e mais careca dos homens de peito nu que jamais vi. Ele levantou a cabeça e olhou para mim com os olhos sombrios que reconheci do rio.

— Puxa vida, rapaz, você nos deu o maior susto — disse o homem.

— É, Jackie — Early falou. — Você não devia ter entrado no rio daquele jeito. É perigoso. Se Gunnar não estivesse por perto, você teria se afogado. Além do mais, suas roupas ainda estão molhadas. — Ele apontou para minha camisa, a calça e a mochila encharcada pendurados perto da lareira. A camisa do homem, Gunnar, muito maior, secava do outro lado.

— É verdade — disse ele. — Mas hoje você me fez um grande favor.

— Fiz? — Estranhei, tentando entender como salvar minha vida podia ser um favor para ele.

— Ah, sim. Já pesquei muitos peixes na vida, mas o Senhor, Ele diz: "Sigam-me, e eu os farei pescadores de homens". Hoje, eu pesquei um! — Seus ombros tremeram com a gargalhada.

Minha expressão devia ser tão perplexa quanto eu me sentia, porque o grande homem careca se levantou, a cabeça quase tocando o teto e a largura do corpo bloqueando praticamente toda a lareira, e estendeu a mão enorme para mim.

— Olá, jovem sr. Jack. Eu sou Gunnar Skoglund.

— *Skoglund?* — Early repetiu, aparentemente ouvindo o sobrenome pela primeira vez. — Que tipo de nome é esse?

Eu também achei o nome estranho, mas não teria feito comentário nenhum. Esperei pela explicação do sr. Skoglund.

— Vim da Noruega. Um vilarejo perto de Oslo.
— Você é viking? — perguntou Early. — Ou conhece algum?
— Suponho que todo norueguês seja um viking. Somos navegantes. Viajantes. Marinheiros. Foi assim que vim para os Estados Unidos. Trabalhei nas docas em Portland. Mas aquela vida não é mais para mim — falou ele, com uma nota de pesar. — Venha aqui, quero dar uma olhada nesse corte. — Eu me encolhi um pouco quando ele afastou meu cabelo para examinar o machucado. — Ah, sim. Precisa de um ou dois pontos. Podia ter sido pior.

Ele fez um gesto para eu sentar em um caixote menor. Fiz o que ele pediu. Depois Gunnar Skoglund se moveu pela cabana apertada como um grande touro, mas, de algum jeito, conseguiu não tropeçar em nada. Ele voltou para perto da lareira com um frasco, provavelmente de uísque, uma agulha e uma linha.

Enterrei as unhas nos dois lados do caixote de madeira. "Pontos", ele havia dito.

— Não se preocupe — Gunnar falou. — Já levei pontos antes, no joelho, mas o médico me deu uma anestesia que adormeceu a pele, e eu não senti quase nada.

Gunnar tirou a rolha do frasco. Talvez planejasse me embriagar para eu não sentir dor. No entanto, em vez de servir o líquido em um copo, pegou um pano e encharcou um canto com o que eu pensei ser uísque. É claro que eu sabia o que aconteceria a seguir. Ele aproximou o pano do corte. Doeu à beça. Apertei os lábios e só gritei um pouco.

Tudo isso era acompanhado por uma enxurrada de perguntas e comentários de Early.

— O que vai fazer com essa agulha, Gunnar? Vai costurar a cabeça de Jackie? Uma vez rasguei a calça e a costurei, mas depois não consegui mais fechá-la. Você acha que, se eu trouxer minha calça, consegue consertá-la?

O homem continuou em silêncio, deixando as perguntas de Early sem resposta enquanto segurava a agulha com uma pinça e a aproximava do fogo. Ver aquilo quase me fez desmaiar de novo.

— Agora — disse ele —, acho que preciso dos meus óculos. Os óculos sobre a mesa de cabeceira.

— Eu pego! — Pulei do caixote e corri para o quarto.

— Já que vai até lá, pode dar uma olhada na estante? Tem um manual de medicina que deve ter as instruções para a execução correta das suturas.

Era brincadeira? Tentei avaliar seu tom de voz, ouvir um indício de sorriso ou algo que sugerisse que ele estava brincando. A agulha incandescente era agora uma imagem gravada em minha cabeça, e eu não tinha pressa para vê-la de novo, por isso estudei a estante procurando algum tipo de guia médico. *Execução correta das suturas? Quem fala desse jeito?*

Analisei os títulos e encontrei a resposta: pessoas que leram os diálogos de Platão. Fílon de Alexandria. *O Inferno*, de Dante. *As Fábulas de Esopo*.

Reconheci alguns títulos que faziam parte da coleção de minha mãe lá em casa, e outros que vi na biblioteca da Morton Hill. Mas aqueles livros me lembravam de outra coisa. Peguei um da prateleira, depois outro, tocando as capas em relevo e cheirando as páginas. *As Aventuras de Robin Hood*, que eu já tinha lido. *Confissões*, de Santo Agostinho. Ainda não tinha lido aquele. *Romeu e Julieta*. Uma história de amor. Eu *nunca* leria.

Todos os volumes eram de capa dura, velhos e gastos, mas ocupavam as prateleiras como troféus. Era isso! Como dizia a *National Geographic*, é possível saber muito sobre uma pessoa analisando o que ela idolatra. Esse era o altar de Gunnar, e lembrava a estante de troféus da Morton Hill. Essas obras com seus contos de coragem, amor, sacrifício e mistério eram especiais e importantes.

— Encontrou? —perguntou Gunnar. — Está na segunda prateleira, bem ao lado de *Frankenstein*.

Senti um arrepio nas costas. Lá estava ele, o *Manual Médico Alford*, bem ao lado de *Frankenstein*, de Mary Shelley.

Frankie Daniels havia sido o monstro de Frankenstein no último Halloween. A mãe dele desenhara uma enorme cicatriz com pontos grosseiros em sua testa. Minha esperança era de que o manual médico fornecesse instruções melhores para a "outorga correta de pontos" que as que o cientista havia usado em sua criatura.

No entanto, foi o pequeno volume cor-de-rosa a dois livros de distância de *Frankenstein* que chamou minha atenção. Ele estava inclinado, pedindo para ser visto. Eu o tirei da prateleira — *The Journal of Poetry by Young Americans*. *Faz sentido*, pensei. *O que mais poderia conter um livrinho cor-de-rosa?*

Não sou muito fã de poesia, a não ser que seja do tipo que começa com "Era uma vez um homem de Nantucket", por isso dei só uma folheada rápida no livro. Havia uma inscrição na parte interna da capa: "Para Gunnar — Com amor, Emmaline". Isso estava ficando cada vez mais meloso. Percebi um papel marcando uma página. Sabia que era uma invasão de privacidade, mas peguei a folha dobrada. Era uma carta manuscrita de 5 de junho de 1938.

> *Querida Emmaline,*
> *Tenho força para mover montanhas, mas não posso mover o tempo do presente para o passado. Queria poder dizer as palavras que você leu para mim nos livros. Palavras de amor, de pesar e de coisas perdidas. Mas, acima de tudo, queria poder ouvir sua voz suave. Em vez disso, conforto-me com a leitura dos livros que você teria lido para mim. Encho minha cabeça e meu coração com histórias de aventureiros, pensamentos de grandes filósofos e poemas sobre as estrelas. Você me deu um grande presente, este amor pelas palavras, e por isso sou sempre grato e*
> *Sempre seu,*
> *Gunnar*

— A agulha está ficando mais quente! — disse Gunnar, me trazendo de volta ao presente com um sobressalto.

Devolvi o livro cor-de-rosa ao lugar dele na prateleira, peguei o *Manual Médico Alford*, preto e de aparência mais masculina, e voltei relutante à sala.

Gunnar pôs os óculos e folheou o manual.

— Ah, sim. Aqui está. — Ele movia os lábios resmungado palavras como "incisão", "laceração" e "coagulação". Depois deixou o livro aberto sobre suas pernas, como se pudesse precisar consultá-lo durante o procedimento.

— Você já fez isso antes? — perguntei, arregalando os olhos quando o homem pegou a agulha.

— Ah, pode apostar. Já dei pontos vez ou outra. Eu era muito mais jovem, é claro. Um garoto. — Ele enfiou a linha na agulha. — Foi em outro menino, o nome dele era Lars. Ele me provocou dizendo todo tipo de coisas horríveis, e dei um soco na boca dele. O lábio começou a sangrar muito, por isso o costurei. Ele nunca mais disse aquelas coisas feias de novo. Na verdade, não me lembro de ter dito mais nada, porque costurei aquela boca muito bem costurada.

Movi a cabeça para trás, mas vi Gunnar piscar para Early quando começou a trabalhar em minha testa. Eu me encolhi e fiz uma careta. Se tivesse algo para morder, teria cortado a coisa ao meio. Mas, com alguns movimentos firmes, o homem terminou de dar os pontos. A ferida latejava. Early pegou um frasco em sua mochila e o destampou. Havia ali uma pomada com cheiro de lavanda, que ele aplicou com cuidado sobre os pontos.

— Vai aliviar a dor — disse. — Na verdade, é para mordidas de cobra, mas deve funcionar com pontos também.

— Agora é hora de almoçar. — Gunnar guardou o material de costura e se lavou, enquanto Early, completamente à vontade, mexia o ensopado que fervia na panela.

Gunnar pegou três tigelas de madeira de um armário e serviu nelas porções generosas. Nós nos sentamos em banquetas em torno do fogo e comemos em silêncio por um tempo. O ensopado estava quente, cheio de sabores e temperos.

Estava pensando no que podia haver nele, quando Early disse:

— Jack, sabia que Gunnar não tem um dedo do pé? — Engasguei com o ensopado. — Gunnar, conte a Jackie sobre aquela vez em que você foi pescar e pegou um robalo, mas, quando o puxou, era um tubarão, e ele arrancou seu dedão do pé. Lembra-se disso?

Olhei para os dois, Early e Gunnar, de boca aberta. Era só a hora do almoço. Como Early podia ter aprendido tanto sobre a vida do homem?

— Sim, eu lembro. Mas vamos deixar essa história para depois. Agora gostaria de saber como o jovem sr. Jack se sente, depois de ter bebido metade do rio Kennebec.

— Um pouco perturbado — respondi, em parte por causa dos pontos, em parte porque havia mordido alguma coisa que esperava ser uma cenoura. Ainda não sabia qual havia sido o destino do dedão de Gunnar, e minha imaginação enlouquecia.

— Tudo bem. Vamos comer.

Eu estava com fome, e o ensopado de carne era tão bom que decidi correr o risco.

— Então — disse Gunnar —, o sr. Early me contou que vocês estão em uma cruzada. — Ele terminou de comer e deixou a tigela de lado.

— Na verdade, a cruzada é dele — respondi, tentando me distanciar das ideias malucas do garoto. — Eu só acompanho.

— Entendo. — Gunnar pegou uma pele de coelho e, usando um osso branco e curvo, começou a raspar a parte interna do couro. — Só acompanha? Era isso que estava fazendo no rio, só acompanhando? — Ele projetou os lábios. — Talvez você devesse pensar em assumir um papel mais ativo em suas empreitadas. — Havia algo entre um desafio e uma crítica na voz dele. O homem continuou: — Se cair no rio de novo, pelo menos terá o conforto de saber que teve um papel relevante nisso.

Meu rosto ficou um pouco vermelho com a censura.

— Sim, senhor — falei. Sabia o que aquele comentário significava. Minha mãe costumava dizer: "Se for pego com a mão no pote de biscoitos, não finja que alguém a enfiou lá para você". — O que faz aqui? — perguntei, tentando mudar de assunto. Além disso, a cabana, com sua enorme variedade de peles de animais e ferramentas, pedia uma explicação.

— Sou veterinário — respondeu ele.

Senti mais uma vez um aperto dentro de mim. *Ele não deve ser muito bom*, pensei, olhando para o canto onde havia um texugo empalhado com a boca aberta numa expressão de fúria selvagem e para as peles de furão penduradas no teto. Sim, todo profissional da saúde perde um paciente de vez em quando. Mas quantos penduram os pacientes mortos nas vigas ou os mantêm empalhados e em exibição pelos cantos de casa?

Gunnar deu uma grande risada.

— Estou brincando. Sou o que chamam de "fornecedor". Tenho o equipamento necessário para caça, pesca, armadilhas e coisas do tipo.

— E para rastreamento? — perguntou Early sem mencionar o grande urso.

— Ah, bem... — Gunnar comprimiu os lábios. — Isso talvez seja perigoso. Nunca se sabe quando o que você rastreia pode estar rastreando você.

— Vai fornecer equipamento para nós? — insistiu Early. — Podemos pagar. — Ele enfiou a mão na mochila quase vazia, agora que a maioria das nossas provisões havia sido comida ou perdida para os piratas. Mas em algum compartimento fechado que Olson não havia percebido estava a lata de feijões onde Early guardava o dinheiro.

— Ah, Deus. Vocês dois são mais verdes que um par de pepinos. É um grande erro ficar por aí exibindo dinheiro assim, para qualquer um roubar. E o que estão fazendo aqui na floresta? — Ele olhou para nós, sério.

Tive medo de que o garoto revelasse demais.

— Estamos fazendo uma caminhada pela natureza — falei.

— Sei. — Gunnar olhou para mim por cima dos óculos. — Bem, acho melhor estarem preparados, ou podem acabar, digamos... flutuando no rio sem um barco. Tem muita gente por aí procurando a coisa errada, é o que eu acho.

— Como assim? — perguntei. — Se alguém vem para cá, gasta dinheiro com equipamento, deve ter certeza do que está procurando.

— E é aí que você se engana. Os que quase se deixam consumir pela caçada, os desesperados, digamos, por aquilo que acham que procuram, normalmente estão bem longe do que de fato estão procurando. É verdade, também, que às vezes eles não estão procurando nada, mas fugindo de alguma coisa. — A voz dele era clara e cheia, como se brotasse das vagas águas glaciais onde nadam as grandes baleias.

— Como cachorros? — Early perguntou daquele jeito distraído dele.

— Talvez. — Gunnar respirou fundo, tão fundo que eu me perguntei se ele teria um respiradouro no topo da cabeça e conseguia segurar o oxigênio por longos períodos de tempo. Mas, depois de um tempo, ele soltou o ar na forma de um suspiro lento, comedido. — Talvez — repetiu. — Mas, em algum momento, aquilo de que eles fogem os persegue até não haver mais para onde fugir. — E então, como se quisesse mudar de assunto, ele se virou de costas para apagar as brasas incandescentes na lareira. Foi quando vi que Gunnar havia fugido de alguma coisa. E que *alguma coisa* o seguia, deixando-o inquieto e agitado. Vi pela primeira vez em seus olhos escuros, sombrios. Havia lido em sua carta para Emmaline. E ali, enquanto ele apagava as brasas, vi claramente nas cicatrizes furiosas que marcavam suas costas. Ele havia fugido de alguma coisa, mas essa coisa o perseguia e não o deixava escapar.

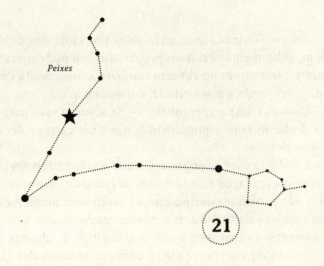

Gunnar deve ter escutado minha exclamação abafada atrás dele, porque seus ombros ficaram tensos, e ele estendeu a mão rapidamente para a camisa branca ao lado da lareira, vestindo-a sobre as cicatrizes. Early também as viu. Eu tinha certeza de que ele ia perguntar como apareceram. Ele *sempre* perguntava. Nunca deixava de mencionar o que passava por sua cabeça. Mas dessa vez, por alguma razão, não disse nada. Só estendeu a mão pequena e pálida e segurou a de Gunnar, grande e calejada.

Eu me senti estranhamente excluído olhando para a cena, mas, depois de um tempo, o homem falou:

— Vamos. O ensopado não vai saciar nossa fome por muito tempo, e é hora da primeira aula de habilidades de sobrevivência. O Senhor diz: "Faze-te ao mar alto, e lançai as vossas redes para pescar". — Gunnar pegou, ao lado da porta da cabana, uma vara longa e fina. — Mas isso porque o Senhor nunca pescou com uma vara!

Já era de tarde quando saímos para ir ao rio, e Early fez um comentário rápido sobre o Senhor ter ou não pescado com vara.

— Jesus tinha muitos amigos que eram pescadores — disse. — Talvez, depois de Pedro ter caído no mar da Galileia, ele decidiu desistir da pesca em alto-mar e passou a pescar com vara no rio Jordão. Jesus e Pedro eram amigos, eles podem ter ido juntos. Além do mais, Jesus não precisava de macacão impermeável, porque podia andar sobre as águas...

Quando chegamos ao rio e Early não tinha mais argumentos para explicar por que pescar com vara podia ser um passatempo no Novo Testamento, o sol estava alto e espalhava calor e luz radiante pelo rio. Gunnar vestiu o macacão impermeável idêntico aos que dera a cada um de nós, insistindo para irmos com ele.

— Pescar com vara é o esporte dos pensadores e sonhadores — disse ele. — É a recreação do homem contemplativo.

Se era isso, pensei que Jesus era um candidato bem provável para esse tipo de pesca, mas, evitando alimentar a discussão, vesti o macacão e fiquei quieto.

As varas eram mais longas que as normais e tinham mais alcance. A linha pendia solta, com uma espécie de pena colorida na ponta. Gunnar entrou na água e começou um movimento longo e lento com a vara, mandando a linha e a isca colorida pelo ar e olhando para longe, para o rio.

— Vejam, é um movimento fluido — explicou Gunnar. — Nada de solavanco com a vara e o molinete. A linha é como uma extensão do pescador. Venham — chamou ele, abrindo os braços num gesto convidativo.

Eu segurava a calça de borracha, mas sentia um arrepio de medo ao olhar para o rio. "Vista sua calça de menino crescido", minha mãe dizia sempre que eu relutava ou demonstrava medo de experimentar algo novo. A vestimenta chegava até meu peito. Definitivamente, essa era uma calça de menino crescido. *É melhor eu vesti-la, assim Early não vai ter medo de fazer o mesmo. O coitado nunca deve ter entrado na água até a altura da barriga, e vai ser engolido pelo macacão.*

Sentei sobre uma pedra e puxei e puxei, tentando fazer subir a calça de borracha.

— Tudo bem, Early — falei por cima do ombro. — Pode ficar no raso, perto da margem. Olhe aqui. — Tentei levantar, mas caí de lado sobre as pedrinhas. Rolei para a esquerda, depois para a direita, tentando pegar impulso suficiente para me reerguer. Mais algumas tentativas, e eu estaria em pé. — Só um segundo, Early. Eu ajudo você assim que... — Virei para olhar para o rio e lá estava o garoto, totalmente vestido, já no meio da correnteza, jogando a isca com a facilidade e a graça de uma bailarina. Meu queixo caiu.

— Venha, Jackie — chamou ele. Gunnar devia ter dado a ele um macacão menor, porque aquele parecia ter o tamanho apropriado para altura do menino.

— O que... como... — gaguejei, finalmente em pé e me movendo para o rio com passinhos miúdos.

— Muito bom, sr. Early. Tem um ótimo lançamento — disse Gunnar.

— Eu sei. Meu irmão me ensinou antes de ir para a guerra. — Ele balançava a linha para a frente e para trás. O movimento parecia afastá-lo, levá-lo a algum outro lugar.

A expressão de Gunnar registrava o que ele sabia, o que todos nós sabíamos, sobre o destino de muitos daqueles irmãos que foram para a guerra. Ele olhou para mim, os olhos formulando a pergunta que o homem não queria fazer em voz alta. *O irmão de Early voltou?*

Balancei a cabeça. Não, Fisher estava morto.

Gunnar deixou o silêncio se impor enquanto Early entrava um pouco mais na água e nos próprios pensamentos.

Finalmente, o grandalhão falou, a voz tão fluida e móvel que poderia ter saído do próprio rio.

— Certa vez, ouvi um poema sobre lançar a linha. Ele dizia que, quando o pescador joga a linha, é como se jogasse seus problemas para a correnteza levá-los embora. Por isso, continuo jogando.

Eu gostava dessa ideia. O rio pressionava e empurrava, e cada um de nós respondia de formas diferentes, deixando a água nos separar e levar para o nosso lugar dentro dela.

Ficamos algumas horas pescando, com o ar fresco e a água fria relaxando nossos músculos e aliviando nossas dores. Gunnar e Early pegaram um peixe cada um. Depois passamos o restante da tarde em várias outras lições de sobrevivência e treinamento para a vida ao ar livre: como acender uma fogueira usando um espelho e o sol. Como montar uma armadilha para um coelho ou um esquilo distraído. E, mais importante, como rastrear um urso.

Early e eu éramos alunos aplicados e nos esforçávamos muito, mas Gunnar balançou a cabeça várias vezes demonstrando desânimo. Como quando fiz um buraco na calça com meu espelho para acender fogo. Ou quando Early caiu de uma árvore na aula sobre o que fazer ao ser perseguido por um urso. E na vez em que tive certeza de ter encontrado um rastro de cocô de urso que poderia seguir. Gunnar os jogou na boca na mesma hora e disse que o gosto era estranhamente parecido com o de amoras pretas.

Depois de um tempo, tive a sensação de que o plano de Gunnar sempre foi nos convencer de que não estávamos preparados para uma aventura na floresta. E o pior é que talvez ele tivesse razão. O homem enfim nos deu um descanso, e quando meu estômago roncou, o ensopado de carne agora uma memória distante, dois belos robalos assavam em um espeto sobre o fogo à margem do rio. Comemos cada pedacinho deles, até a última migalhinha de carne, deixando pouco mais que espinhos e olhos.

De barriga cheia, Gunnar, Early e eu sentamos junto da fogueira quando as primeiras estrelas brilharam no céu da noite.

— "Ah, olhem para o povo do fogo sentado no ar" — Gunnar falou com um tom sonhador.

— Povo do fogo? — perguntei olhando em volta.

— Sim, nunca ouviu falar no povo do fogo? É assim que um famoso poeta, Hopkins era o nome dele, chamava as estrelas. "Olhem para as estrelas!", ele diz. "Olhem para os céus! Ah, olhem para o povo do fogo sentado no ar!" — Seu sotaque era rico e pleno, levantando cada palavra como se ele a mandasse flutuar no céu da noite.

Segui o olhar de Gunnar para as estrelas.

— Posso nomear todas elas. Lá estão as Plêiades. — Apontei um grupo de estrelas azuladas. — E Orion, o caçador, está ali. E aquelas cinco estrelas que parecem um W... aquela é Cassiopeia. — Eu estava me exibindo.

— Como sabe esses nomes? —perguntou Early.

— Aprendi quando era pequeno. Devo ter ouvido em algum lugar. Minha mãe não ligava muito para nomes de estrelas e constelações.

Gunnar grunhiu, pouco impressionado com meu conhecimento astronômico.

— Ninguém pode dizer nada sobre *saber* o nome das estrelas. O céu não é um campeonato ou uma prova. A única pergunta é: você consegue olhar para cima? Absorver tudo aquilo? Quanto ao nome das constelações, elas não são meio nem fim. As estrelas não estão presas umas às outras. Estão lá para serem admiradas. Olhadas, desfrutadas. É como pescar com vara. Pescar com vara não é sobre pegar o peixe. É aproveitar a água, a brisa, os peixes nadando à sua volta. Se pegar um, ótimo. Se não... melhor ainda. Significa que você pode voltar e tentar de novo!

Se Gunnar não fosse um homem grande e careca com um sotaque estrangeiro, eu teria pensado que era minha mãe falando.

Early se manifestou:

— Quer dizer que olhar para as estrelas é como olhar para as nuvens? Você consegue ver constelações diferentes todas as noites?

— Ah, sim. Olhe para o céu. O que você consegue ver? — perguntou Gunnar.

Early estudou o céu.

— Vejo alguma coisa! Ali. — Ele apontou. — Um barco! Exatamente como o *Maine*.

Segui a direção que ele apontava. Havia um grupo de estrelas que, se você apertasse os olhos, parecia um pouco com um barco.

— Ah, sim. Minha vez. — Gunnar coçou o queixo enquanto olhava para cima. — Vejo um castor bem ali... e um robalo de boca grande mais para lá, mas com uma boca muito pequena — Ele sorriu. — E ali... — sua voz ficou suave e saudosa —, aquelas duas estrelas cintilantes. Eu já as vi antes. E chamo de Olhos de Emmaline.

Vi as estrelas brilhantes para as quais ele apontava. O céu parecia me sugar, e lembrei a sensação de pescar com vara no rio mais cedo. Os sons, a força da correnteza, a luz cintilando na água como... estrelas.

Olhando para os Olhos de Emmaline, imaginei Gunnar jogando sua linha. Pensei na carta para Emmaline e nas cicatrizes nas costas dele, agora visíveis embaixo da fina camiseta branca. Eu tinha certeza de que ele havia tentado jogar seus problemas no rio, mas as coisas estavam tão presas dentro dele que não conseguiam se libertar.

— E o que você vê, sr. Jack?

Olhei para o céu. Mas não sei bem o que estava procurando. Então vi um grupo de estrelas formando um círculo. Como uma aliança. Ela cintilava com um brilho fugaz. Apontei para a constelação, mas não consegui mais encontrá-la. Estava lá em um momento, e no outro havia sumido. Como meu pai.

Olhei com mais atenção, procurando outra coisa. Queria ver mais que cicatrizes, toras aglomeradas represando um rio e anéis de navegador.

— Não vejo nada — falei. Mas me sentia como naquele dia no Recanto, quando toquei o *Maine* e não consegui fazer um pedido de verdade. Mais uma vez, estava sozinho e à deriva. O silêncio encerrou nossa brincadeira de olhar as estrelas.

Early se sentou ao lado de Gunnar e, sem nem mesmo olhar para o lado, estendeu a mão e tocou as costas largas do homem. Gunnar prendeu a respiração como se alguma coisa o chocasse. Devia fazer muito tempo que ninguém tocava aquelas cicatrizes.

— O que aconteceu, Gunnar? — perguntou ele.

Quando o homem soltou o ar, foi como se o toque de Early, de alguma forma, movesse as toras que o represavam por dentro, e as palavras começaram a fluir.

— Eu era um lutador. Um rapaz durão, dezesseis anos de idade e recém-chegado da Noruega. Trabalhei nas docas em Portland e esculpi músculos fortes. Eu conseguia derrubar um homem adulto com três socos. Depois de algum tempo, comecei a ser pago para fazer isso. Homens apostavam em mim. Até o sr. Benedict me tornar um lutador *dele*. Ele disse que me pagaria bem enquanto eu continuasse ganhando lutas. Foi assim que cresci, essa foi a única vida que tive por anos. Até conhecer Emmaline. Eu costumava vê-la passando a caminho da biblioteca onde ela trabalhava. Então comecei a ir à biblioteca. Ela recomendou alguns livros, e eu os levei para casa só para poder devolvê-los e vê-la de novo. Ela não precisou de muito tempo para entender tudo.

Gunnar sorriu. E continuou:

— Um dia, fui devolver um livro. *As Aventuras de Huckleberry Finn*. Ela me perguntou: "O que achou?". Eu respondi: "Ah, gostei muito". Ela disse: "É, o sr. Twain tem bastante imaginação. Quem já ouviu falar de um cachorro chamado Huckleberry?". Eu concordei e falei: "Sim, aquele Huckleberry era um cachorro patife". Ela me olhou com ar sério e disse: "Gunnar, Huckleberry Finn é um menino, não um cachorro. Acho que você não sabe ler". Bom, naquele momento eu queria sair da biblioteca e nunca mais voltar, mas ela falou: "Não tem do que se envergonhar. Eu ensino".

Ele continuou relembrando.

— E ela me ensinou. Passamos horas e horas no parque, na biblioteca, ela lendo para mim, eu lendo para ela. Ela amava os poemas de Hopkins. Encontrei um livro de poemas dele em um sebo e dei para ela. Seu favorito era "A Noite Estrelada". Não havia nada que eu pudesse fazer senão me apaixonar. Mas ela não aceitava a luta.

Gunnar balançou a cabeça.

— Ela dizia que lutar é para pessoas que não conheciam o próprio valor. Dizia que eu tinha um cérebro e que devia usá-lo no lugar dos punhos. Então, uma noite, avisei ao sr. Benedict que aquela seria minha última luta. Disse que eu tinha economizado dinheiro suficiente e que iria para a faculdade. Que iria me casar! Ele deu um sorriso cruel, falou que era o meu *dono* e que eu faria o que ele mandasse. Naquela noite, vi que tinha alguma coisa diferente no ar. Uma vibração na sala que eu não entendi até ouvir o gongo. E, de repente, tinha *dois* homens no ringue comigo. Irmãos. O sr. Benedict assente de um canto. Dá para ver que ele apostou muito dinheiro em mim.

Gunnar continuou seu relato:

— Eles me atacaram. Um soco aqui, outro ali. Cambaleei, e meu olhar ficou vermelho. Naquele momento, todo o meu ódio transbordava, toda a minha vergonha. Batia no que aparecia na minha frente. Até que um deles não levantou mais. Estava morto. O irmão olhou para mim furioso, transtornado com o que tirei dele. Ele encarou o sr. Benedict, que fez um aceno com a cabeça. Então, dois homens seguraram os meus braços, e o irmão começou a me bater. Mas eu quase dei risada. Os dois estavam perdendo tempo me segurando. Eu não lutei de volta. Nem tentei me soltar. Só deixei ele me bater. Porque estava envergonhado. De repente, ouvimos sirenes da polícia. Uma batida, eles disseram. E me soltaram no chão. Estava quase inconsciente. A sala clareou quando todo mundo se dispersou. Garrafas se quebraram. Uísque foi derramado. Eu sentia o cheiro. Ouvi o ruído do fósforo. Mas minha visão estava turva e minha mente confusa. Eu me mexi ao sentir o cheiro de fumaça e o ardor na pele. Eu sabia que era sair ou morrer. Saí. Mas parte de mim morreu do mesmo jeito. O fogo se resumia a brasas, e o céu estava cheio de estrelas.

— Como veio parar aqui? — perguntei.

Gunnar apoiou as costas em uma pedra perto da fogueira e olhou para o céu.

— Rastejei até a carroceria de um caminhão, que ia para o norte. O veículo era de um veterinário, e acordei na casa dele. Ele colocou remédio nas queimaduras e me deixou ficar no celeiro por alguns dias, mas depois tive que ir embora.

Gunnar passou as mãos sobre os olhos como se tentasse apagar as lembranças. Mas não parecia estar funcionando.

— Tudo tinha mudado — ele continuou. — Eu não podia voltar a Portland. Não podia encarar Emmaline de novo depois do que eu fiz. E com essa aparência. Queria ir para longe. Esconder minhas cicatrizes. As de fora e as de dentro. Então vim para cá. Para o fim do mundo... — As palavras dele desaparecem.

"O fim do mundo." Era onde eu tinha ido parar também. E sabia que era um lugar de onde não era fácil voltar. Era isso que eu estava fazendo aqui com Early? Tentando encontrar meu caminho de volta? Ou estava só fugindo? Talvez Gunnar e eu fôssemos parecidos, dois estranhos em um lugar desconhecido, ambos arrancados da própria vida, incapazes de voltar. De fato, depois da nossa pescaria naquele dia, eu me sentia muito parecido com aquela isca pequenina, olhando para fora da água muitas e muitas vezes sem nunca conseguir retornar à superfície.

— Mas e Emmaline? — A voz alta de Early interrompeu meus pensamentos.

— Já falei. Emmaline não aceitava nada disso. Ela nunca ia me querer de volta.

— Aposto que ela sabe que você se sente mal. Que não tinha a intenção de matar aquele homem — insistiu Early.

Pensei na carta para Emmaline entre as páginas do livro de poesia e me perguntei quantas vezes Gunnar havia tentado pôr as palavras no papel, incapaz de livrar-se delas.

— Talvez devesse mandar uma carta para ela — sugeri.

O homem levantou a cabeça com a cara assustada. Eu não conseguia ver o vermelho de seu rosto à luz fraca do fogo, mas podia senti-lo. Tinha certeza de que deixei transparecer que bisbilhotei nos livros. Ele se apoiou novamente à pedra.

— Não sei. Acho que não tenho coragem para fazer isso. Enquanto estou longe, enquanto não escrevo, ainda há uma chance. Mas e se recebo uma carta de volta que diz "Nunca escreva para mim de novo"? Ou se a resposta dela jamais chegar? — Gunnar balança a cabeça. — Queria não ter matado aquele homem.

— Mas eram dois contra um — falei. — Você só estava tentando se proteger.

— Se esse é o preço de me proteger, de continuar vivendo, acho que preferia que fosse eu que tivesse caído no ringue naquela noite.

A conversa morreu, e Gunnar jogou areia sobre o fogo.

Voltamos para a cabana, cansados e doloridos do dia cheio de acontecimentos, nossos passos quase completamente silenciosos nas folhas úmidas no chão. Foi nessa quietude que ouvimos o barulho de cães ofegando e latindo, e o de homens resmungando e vasculhando a área. Ainda estávamos um pouco longe da cabana.

Não enfie a mão em um pote de mel enquanto não tiver certeza de que não é uma colmeia.

Esse era um dos ditados mais claros de minha mãe.

Agora que estávamos perto o bastante para ver a clareira perto da cabana de Gunnar, enxergamos claramente Mac-Scott e seus comparsas Olson e Long John Silver. Os cães estavam agitados, haviam farejado nosso cheiro outra vez. Evidentemente, o pote de mel *era* uma colmeia. E as abelhas zumbiam furiosas.

Cão Menor

22

Gunnar levou o dedo aos lábios, fazendo um gesto para Early e eu esperarmos enquanto ele levantava a lanterna e entrava na clareira. Encontramos rapidamente um lugar atrás de um grande carvalho, onde podíamos ver sem sermos vistos.

— Saudações, cavalheiros. — A voz de Gunnar retumbou na escuridão, assustando os três piratas. — Querem um pouco de carne enlatada ou um copo de água fresca?

MacScott virou-se assustado. Ele olhou diretamente para o gigante norueguês que entrava no raio da luz de sua lanterna, exibindo as cicatrizes que a camiseta não conseguia esconder. O pirata parecia perplexo com o que via. Estaria impressionado com as cicatrizes, apesar de exibir algumas bem feias em seu próprio rosto sem nenhuma inibição?

Finalmente, ele pegou um grande cajado.

— O que pode fazer é nos dizer se viu dois garotos perambulando por aqui — disse, batendo com o cajado em algumas panelas penduradas, como se Early e eu pudéssemos cair de uma delas. — Meus cães parecem ter certeza de que eles estiveram nesse lugar.

Gunnar lavou o rosto com água de um balde na varanda.

— Bom, não tenho como dizer quem esteve aqui na minha ausência. Dois garotos, você diz? E como eles são? — Com gestos casuais, ele pegou uma lata de espuma de barbear e espalhou o creme no rosto. Depois pegou a navalha ao lado do balde e começou a se barbear como se estivesse se arrumando para ir à igreja, aparentemente despreocupado com MacScott e seus cachorros.

Olson e Long John tentavam fornecer uma descrição.

— Bom, o pequeno é bem magro.

— O maior também é magro, só que mais alto.

— Mas o menor fala muito.

Finalmente, MacScott interrompeu os dois.

— Que diferença faz como eles são? Não pode ter muitas duplas de meninos andando por esta floresta. Você viu os dois ou não?

— Não precisa ser grosseiro — disse Gunnar, tirando do rosto o excesso de espuma de barbear. Ele apalpou os bolsos e ofereceu carne enlatada aos cães que ganiam, afagando os animais atrás das orelhas. — Porém, como não vi nenhum garoto nos últimos tempos, então você está certo: não faz diferença como eles são.

MacScott levantou o rifle que levava apoiado em um braço, mas se manteve fora do círculo de luz.

— Acha que está sendo engraçado? — E gesticulou para Olson. — Vá dar uma olhada lá dentro.

Gunnar endireitou as costas, e os músculos de seus braços ficaram tensos.

— A menos que esteja interessado em armadilhas para castor, iscas para peixe ou uma faca de caçador, acho que não posso ajudar os cavalheiros esta noite.

MacScott passou o dedo sobre o brilhante tambor da arma. E virou o lado deformado do rosto para a lamparina de Gunnar. A aparência das cicatrizes ficava ainda pior sob a luz trêmula.

— Tenho cara de quem precisa de armadilha para castor ou isca para peixe?

Olson saiu da casa.

— Não tem ninguém lá não, chefe.

Até os cães pareciam entender a situação, porque pararam de ganir e arfar.

MacScott mantinha os olhos fixos no norueguês.

— Talvez você não possa ajudar hoje, mas vamos voltar. — Ele encaixou a arma na alça de apoio.

MacScott e os outros dois homens pegaram suas coisas e seguiram na direção oposta ao lugar onde estávamos. Early e eu esperamos um pouco mais antes de sairmos do esconderijo.

Early foi o primeiro a falar, é claro.

— Gunnar, em uma luta entre o Capitão América e o capitão MacScott, quem você acha que ganharia? MacScott tem uma arma, mas o escudo do Capitão América o protegeria das balas.

— É tarde demais para pensar nisso, mocinho. Acho que eles não vão voltar hoje. Então, já para a cama, amanhã pensamos nisso.

— Mas os cães — falei. — Eles vão nos farejar.

— Eles não vão sentir nenhum cheiro além de mentol por um tempo. — Gunnar estendeu as mãos, e sentimos o aroma da espuma de barbear que ele havia espalhado no rosto pouco antes e, aparentemente, no focinho dos cachorros também.

Early e eu deitamos na grande cama que eu havia ocupado mais cedo. Gunnar andou pela cabana durante algum tempo, enquanto Early e eu fazíamos planos. Finalmente, ouvimos Gunnar encaixar uma tábua de madeira atrás da porta para travá-la.

Quando tudo estava bem trancado, ele pôs mais um cobertor sobre nós enquanto fingíamos dormir, mas nós dois sabíamos que estaríamos longe dali quando Gunnar acordasse na manhã seguinte.

Early e eu sabíamos que tínhamos que ir embora. Os piratas nos procuravam, e não tínhamos o direito de levar nossos problemas para Gunnar. Quanto mais nos afastássemos da cabana do fornecedor, mais seguro ele estaria. Early e eu encontramos as mochilas, pulamos a janela do quarto e começamos a caminhar pela escuridão.

O tempo estava nublado, mas seguimos em direção ao que acreditávamos ser o norte. Caminhara apenas alguns passos atrás de Early, quando senti alguma coisa rangendo embaixo dos meus pés. Cascas de castanha novamente.

— Jackie — Early disse quando nos afastamos da cabana o suficiente para Gunnar não poder nos ouvir —, os piratas querem mesmo aquele urso, e devem achar que estamos chegando perto de encontrá-lo.

Eu pensava a mesma coisa. Mas também lembrava de Early contando sua história sobre Pi.

— Acho que sim. Mas MacScott ficou mais interessado quando você contou aquela parte das cavernas e do tesouro enterrado na história de Pi. Pode pensar que sabemos onde há um tesouro secreto, e vai nos seguir até encontrá-lo.

— A história não fala em "tesouro" escondido nas cavernas. Diz que é lá que as pessoas enterram seus segredos sombrios e tesouros que "pudessem ter".

— Quem sabe? Talvez ele tenha segredos sombrios enterrados em algum lugar.

— Talvez —suspirou Early.

Paramos para descansar um pouco as pernas e comer um pedaço de carne enlatada. Quando enfiei a mão na mochila, achei alguns objetos que não estavam lá antes: um pacote de amendoins, fósforos secos, algumas barras de chocolate, duas maçãs e uma lanterna nova para substituir a que havia ficado encharcada no rio. Acendi e apaguei a lanterna. Funcionava.

— Olha — falei, dando uma barra de chocolate a Early.

— Gunnar sabia que estávamos sem comida e suprimentos. Acho que não o enganamos com aquela história de sermos viajantes experientes. — Mas foi o que achei em seguida que me deixou perplexo.

— O que é isso? — Early perguntou quando peguei o objeto cor-de-rosa. Gunnar também sabia que eu havia visto o livrinho.

— É um livro de poesia. E... — Removi de dentro dele o envelope delicado, agora lacrado. — Uma carta para Emmaline. Por que Gunnar pôs estas coisas na minha mochila? — falei, pensando alto.

— Ele quer que você mande a carta — Early falou com seu jeito direto, sem deixar espaço para dúvidas ou discussão.

Early pegou a caixa de fósforos secos e acendeu um para iluminar o livro e a carta. O envelope estava endereçado: Emmaline Bellefleur, Biblioteca Pública de Portland, Portland, Maine.

— Por que ele mesmo não mandou a carta? — perguntei.

— Ele precisa de um procurador. — Early soprou o fósforo.

— Sabe, alguém que age em nome de outra pessoa. — Eu podia ouvir a sequência de sinônimos que Early, o dicionário ambulante, recitaria. — Um substituto, um mandatário, um delegado, um representante, um emissário...

— Já entendi — interrompi.

— Por exemplo, se o Capitão América tivesse que impedir um espião nazista de descobrir segredos de guerra e o Caveira Vermelha de assassinar o presidente dos Estados Unidos ao mesmo tempo, ele poderia mandar Bucky como seu procurador em uma das missões. Provavelmente, ele mandaria Bucky cuidar do espião.

Estudei a carta.

— Então, Gunnar quer que eu seja seu ajudante.

Os olhos de Early se iluminaram.

— Isso, ajudante. Esse é o meu preferido.

Guardei o envelope e o livro na mochila.

— Bom, é melhor deixar esse osso para ser roído outro dia. — Early parecia não entender o que aquilo significava. — Estou dizendo que vamos deixar para pensar nisso outra hora. Por enquanto, é melhor seguirmos em frente.

Andamos em silêncio. Early olhou para cima quando as nuvens se dissiparam e encontrou a constelação da Ursa Maior. Nós a seguimos pela escuridão procurando outro grande urso, este na Trilha Apalache. Meus pés estavam pesados, e a floresta ficava cada vez mais densa à nossa volta. Só havia escuridão e perigo adiante. E agora havia cachorros e piratas atrás de nós. A cruzada de Early já havia durado tempo demais. Era hora de voltar. Abri a boca para dizer exatamente isso, mas Early falou primeiro.

— Jackie?
— Sim, Early?
— Obrigado por ter vindo comigo.

Por um momento, não soube o que responder. Poderia ser honesto e dizer: "Acho que você é maluco, e nós dois somos doidos por procurarmos esse urso idiota". Ou: "Sei que você quer que seu irmão esteja vivo, mas ele não está, e nada o trará de volta". Ou então: "Só vim porque meu pai não apareceu e não queria ficar sozinho".

Mas o momento passou, meus pés continuaram se movendo, e tudo que eu falei foi:

— Não tem de quê.

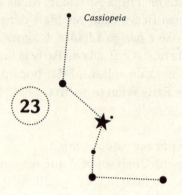

O amanhecer começava a pintar o cenário de roxo, e víamos nossa respiração condensando quando saía de nossa boca. Estávamos ficando cansados. Sei que devíamos ter pensado que seria melhor dormir à noite e andar durante o dia, mas com piratas terríveis nos seguindo, o que funcionava melhor e o que era mais seguro eram duas coisas diferentes.

Depois de um tempo, o sol apareceu, trazendo com ele o dia. Chegamos a uma daquelas pontes cobertas pelas quais a Nova Inglaterra é famosa. Eu achava meio estranho alguém precisar de uma ponte coberta. Mesmo nos dias das carroças e dos cavalos, quando os viajantes ficavam mais expostos aos elementos da natureza, aquela ponte os manteria protegidos apenas por um ou dois minutos, apenas o tempo necessário para a travessia. Em seguida, eles estariam de novo sob chuva ou neve. Nosso vizinho lá do Kansas, o sr. Kloster, que, de acordo com minha mãe, era tão mesquinho quanto o dia é longo, diria que isso é desperdício de madeira boa. Porém, nem mesmo ele poderia negar a beleza de uma ponte coberta sobre o rio Kennebec e aninhada entre árvores diversas com suas folhas vermelhas, douradas e cor de laranja.

Ver aquela ponte nos deu um sentido de direção. Afinal, uma ponte serve para ser atravessada, certo? Pontes são meios de se chegar a algum lugar. Elas nos permitem ir em segurança onde temos que ir. E nós fomos.

Quando pisei nas tábuas cobertas, foi como voltar no tempo. Nossos sapatos faziam barulho, um ruído que ecoava como o dos cascos dos cavalos na estrutura cavernosa.

— Alôôôôôô! — gritei, esperando ouvir o eco.
— Alôôôôôô! — veio a resposta, mas era só Early.
— Engraçadinho — falei. — Estava esperando ouvir o eco.
— Ah, então faz de novo.
— Earrrlllllyyy.
— O quêêêêê?

Balancei a cabeça.

— Capitão Américaaaa — ele gritou.
— Ao resgaaateeee — respondi.

Corremos pelo restante da ponte e para o sol quente do outro lado, onde o caminho fazia uma bifurcação. Eu me preparava para perguntar a Early que lado devíamos escolher, quando vi alguma coisa vermelha no caminho à direita.

— Ei, olha! Frutas!

Eram muitas. Todas de um tom escuro de vermelho e com aquele brilho que sugere amadurecimento além do ponto ideal.

— Acho que devemos ir pela esquerda — disse Early.
— O quê? E perder um banquete de frutas frescas? Os dois caminhos levam ao norte. Provavelmente, acabam no mesmo lugar. Além do mais, é a minha vez de liderar.

Comecei a andar para o lado direito, e Early me seguiu dois passos atrás, relutante. Acho que ele não gostou de eu ter escolhido o caminho, porque nem comeu as frutas.

Faça como quiser, pensei, enfiando as frutinhas na boca enquanto andávamos. Elas brilhavam com o orvalho e tinham um sabor úmido e agridoce.

Não sei se eram as frutinhas ou ter escolhido o caminho, mas me sentia aliviado e até um pouco relaxado. Eu havia optado por um caminho e podia deixar as coisas acontecerem por um tempo, ir para onde a trilha nos levava.

— Billie Holiday tem alguma música boa para caminhadas? — perguntei.
— Não. E não está chovendo.
— E Benny Goodman?
— Não.
— Sinatra?
— Também não.

Enfiei outra fruta na boca pensando que bons cantores não deviam ser bons andarilhos. Mas lembrei a canção favorita de meu avô Henry para caminhadas.

*Camptown ladies sing this song
Doo-dah, dooh-dah...*

Parei para esperar Early cantar comigo.
— Estamos no caminho errado — disse ele.
— Não seja desmancha-prazeres. Aproveite o cenário.

Ele estava mais azedo do que eu imaginava. Tudo bem. Deixei os olhos repousarem nas sombras suaves de algumas árvores verdejantes e no vermelho das frutas, algumas nas próprias árvores, outras espalhadas pelo caminho. O suficiente para me fazer seguir em frente, me atrair. Era bom se sentir atraído pelas cores inebriantes, pelos cheiros e sabores do caminho.

*The Camptown racetrack's five miles long,
Oh, dooh-dah day.*

E assim continuamos, eu me sentindo um elegante cavalo de corrida progredindo num trote vigoroso, e Early, bem... Early estava mais para uma mula lenta e teimosa.

*Goin' to run all night
Goin' to run all day*

I bet my money on a bob-tailed nag
Somebody bet on the bay.

Quando cantei esse último verso, percebi que minha voz estava estranhamente alta na floresta densa. Parecia que, enquanto eu cantava, a floresta havia ficado mais escura, dando ao caminho que seguíamos um acabamento de espinhos e arbustos secos. Então, comecei a me sentir enjoado, como se as frutas tivessem azedado no meu estômago.

Logo nossa trilha era só um corredor estreito entre galhos que rasgavam as roupas e raízes que enroscavam nos pés.

— Eu falei que não devíamos ter vindo por este caminho — disse Early.

— Ah, tudo bem, sr. Sabe-Tudo. Talvez eu tenha errado. É só virar e voltar.

Mas voltar era mais perigoso que seguir em frente, e não havia muito espaço para manobrar sem ser mais arranhado e cortado. E o caminho que estava lá parecia desviar e se dividir em direções inesperadas, nos levando em círculos e para vias sem saída.

Como fizemos uma volta, Early agora estava alguns passos na minha frente e de novo na posição de liderança. E, como antes, ele tinha muita certeza sobre por onde *não* devíamos ir, achei que era justo perguntar:

— Acha que devíamos ter ido para a esquerda depois da ponte?

Ele não respondeu. Em silêncio, olhou em volta estudando o cenário.

— Deve ser aqui que os números começam a andar em círculos — disse.

— Os números do pi? — Eu sabia que ele via as coisas de um jeito diferente da maioria das pessoas. E muito do que via relacionava à história de Pi. Mas MacScott não era um pirata de verdade. A explosão na montanha não havia sido de um vulcão. A garçonete no bar não era a Donzela Pálida e Sem Graça. Sim, havia estranhas semelhanças e conexões entre tudo isso, mas Early tinha um jeito de fazê-las encaixar na história como se forçasse peças aleatórias em um quebra-cabeça só porque precisava delas. Revirei os olhos para o ridículo de tudo isso, mas não consegui evitar a pergunta:

— Você é o dono da bola de cristal. O que acontece quando os números começam a andar em círculos?

— Não vai querer saber.

Empurrei um galho que cutucava minha orelha.

— A palavra principal dessa resposta seria *perdido*?

— Mais ou menos. É uma parte da história que ainda não contei para você.

— Que parte é essa? — perguntei com tom cético.

— A parte em que Pi fica perdido. Por um tempo.

— Perdido como?

— Do mesmo jeito que estamos agora. Em um labirinto.

— Um labirinto — repeti, olhando para ele. — Como na Inglaterra, naqueles lugares onde você entra em uma área de arbustos e vegetação alta e fica andando lá dentro até conseguir sair do outro lado?

— Sim, mas o labirinto em que ele estava começava com um, dois, três. Bem fácil no começo. Depois virava quatro, seis, quatro, sete, quatro, oito. Mais complicado. No entanto, o estranho era onde ele acabava... — A voz de Early foi sumindo, como se o fim fosse algo realmente espantoso.

— Quê? Onde ele acabou?

— Bem, acabou com três, seis, sete, sete, sete, sete. O lugar da Velha.

A VELHA
•⸺• *A história de Pi* •⸺•

Pi vagou no labirinto durante horas, talvez dias. Havia virado à esquerda, mas acabou em um beco sem saída. Recuou, e dessa vez fez o caminho contrário, mas também acabou bloqueado um pouco mais adiante. A mente começou a enganá-lo quando as sombras se tornaram mais longas, e o caminho do labirinto parecia brincar com ele, enganando-o muitas e muitas vezes.

Quando ficou ainda mais perdido, vagando na floresta emaranhada, parecia que o labirinto tinha mais controle de sua jornada que ele mesmo. Pi era levado mais e mais para o fundo das curvas e voltas, até que ficou paralisado pela incapacidade de estabelecer um curso e progredir nele.

Ele deitou, dominado pela exaustão, e fechou os olhos. Se conseguisse dormir, pensou, talvez acordasse com o raciocínio mais claro e uma noção melhor de como funcionava o labirinto. Quando já sentia o corpo se entregando à sensação flutuante do sono, foi despertado por um barulho. Um sino.

Era um som cuja nitidez o atraía. Então ele a viu. Devia ser a pessoa mais velha do mundo, com cabelos brancos e fluidos caindo sobre os ombros magros, pele clara e enrugada e olhos que guardavam as memórias de séculos.

Alguma coisa em Pi o deteve, mas a velha o viu e o chamou para se aproximar. Ela pôs um manto sobre os ombros dele e segurou sua mão.

— Venha — disse. — Seu lugar é aqui. Você precisa ficar aqui.

Foi a palavra "precisa" que o impressionou. E ele sabia que a necessidade dela era maior que a dele. Então a seguiu. Ela o levou à sua casa e o alimentou com carnes salgadas e frutas deliciosas. Deu a Pi roupas quentes feitas de tecidos macios e coloridos. E disse palavras de conforto e consolo.

Depois, Pi sugeriu que era hora de ele ir, mas a mulher explicou que aquela era a casa dele. Ela tentou ajudá-lo a lembrar histórias e eventos que, de início, Pi não reconheceu. Porém, quanto mais a mulher os descrevia com muitos e maravilhosos detalhes, mais as histórias e as experiências se tornavam dele. Nadar no rio quando era menino. Construir animais de brinquedo com gravetos. Colher flores para ela no campo. As lembranças da mulher o invadiam, o convenciam de que aquelas eram lembranças suas.

Ela o chamava por outro nome. Filius. Devia ser um apelido que ele havia esquecido. Logo ele esqueceu o mundo que existia fora daquele universo ancestral fechado em um labirinto. Com o passar do tempo, não pensava mais em ir embora. Sentia-se confortável na casa da velha. Até uma noite.

Era tarde. Ele terminava de tirar água do poço antes de ir dormir quando uma silhueta sombria e escura atravessou seu campo de visão. Inicialmente, ele não conseguiu entender o que era, por isso a seguiu entre as árvores. Alguns passos. Mais outros. A lua brilhava no céu e revelou uma clareira, onde ele viu a silhueta escura. Um urso. Alguma coisa estremeceu e se libertou dentro dele. Talvez fosse o jeito como o grande urso preto o encarava. Talvez a forma como a brisa fazia dançar seus cabelos enquanto sustentava aquele olhar.

Ele se lembrou de alguma coisa. Alguma coisa além das lembranças da Velha. Uma lembrança que era dele. Uma mulher diferente que dizia palavras de conforto e consolo. Uma mulher que afagava seus cabelos enquanto contava histórias. Uma mulher que disse a ele para ficar de olho na Ursa Maior, "porque a Ursa Maior é uma mãe ursa. E o amor de uma mãe é forte".

Alguma coisa se rasgou dentro dele quando Pi percebeu que havia sido enganado, como quando entrou no labirinto, e atraído para uma vida que não era a dele. De volta à casa, ele olhou pela última vez para a Velha, que dormia em uma cadeira ao lado do fogo. Pôs mais um xale sobre os ombros dela, o ajeitou embaixo de seu queixo e a beijou no rosto. Naquela noite, cercado pela escuridão, ele desviou a atenção da Velha, que o havia encantado com seus confortos e histórias, e a devolveu à Ursa Maior, que havia perdido de vista por tanto tempo.

O labirinto se esforçava para desviá-lo e distraí-lo, mas Pi não olhava mais para o caminho. Mantinha os olhos voltados para a Ursa Maior, que guiava seus passos. E quando o céu começava a clarear, ele saiu do labirinto, dos seus arbustos e espinhos, das suas voltas e curvas, e se viu mais uma vez diante do mar, que o chamava. Mas Pi estava sozinho. E havia perdido muita coisa. Por isso ele se afastou do oceano e prosseguiu em sua jornada a pé. Em que direção, ele não saberia dizer, e nem tinha importância.

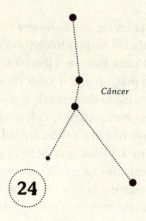

Câncer

24

Early tinha um jeito especial de contar a história de Pi. Ele tinha tanta certeza de que seguíamos os passos do herói, que me descobri esperando identificar o som de um sino ou uma campainha ao longe, como o que Pi ouviu quando estava perdido no labirinto. Mas não escutei nada além do ruído da chuva que começava a cair sobre as árvores e folhas à nossa volta. Meu rosto estava quente. Como eu podia ter entrado nessa loucura e deixado Early me envolver com sua história?

— Então, Pi ouviu um sino que o levou para fora do labirinto? Bom, sorte dele — falei, tirando o poncho impermeável da mochila e colocando sobre as roupas já molhadas. — Não escuto nada além do som de nós dois ficando molhados. É melhor continuarmos andando.

Early não respondeu. Parecia perdido em suas reflexões sobre Pi enquanto também vestia o poncho impermeável.

Por mim, tudo bem; eu não queria conversar mesmo. E, em pouco tempo, andávamos embaixo de uma chuva torrencial que encharcava os sapatos e nos gelava até os ossos. Queria ter o chapéu de aba larga que ainda podia ver pendurado no armário na entrada da nossa casa. Não o levei para o Maine, porque quem precisaria de um chapéu de caubói no Maine? Mas nesse momento ele teria protegido meu rosto carrancudo e molhado de chuva.

Apertei os olhos até transformá-los em frestas e tentei me guiar pelos sons da floresta. É incrível o que você consegue ouvir quando não está sendo distraído pela visão. Alguns esquilos e aves faziam seus sons característicos, primeiro à minha esquerda, depois à direita, como se brincassem de um esconde-esconde da floresta.

Porém, à medida que continuamos e o dia se tornou mais escuro com as nuvens e as árvores, os barulhos também foram ficando mais sombrios. As folhas molhadas pareciam sugar alguma coisa embaixo dos meus pés, como se tentassem me puxar para dentro da terra. A chuva não fazia mais barulho de pingos, agora era mais forte, como um suspiro pesado. Toda a floresta exalava um suspiro muito antigo que devia estar guardado em seu peito desde que aquelas árvores eram mudinhas. Eu me sentia como se fosse atraído cada vez mais para dentro do mistério da floresta. Sabia que, no interior de cada árvore, desenhados no tronco, havia círculos que contavam a história de um ano na vida da árvore e da floresta. *Que tipo de cicatrizes e linhas alguém encontraria na vida de uma árvore?*, eu me perguntava.

Será que as pessoas também tinham linhas que contavam suas histórias? Como seriam as minhas? Eu não precisava vê-las. Sabia que haviam sido feitas no último verão. Um corte fora aberto em mim, e era tão fundo que eu me sentia vivendo aquele momento crítico em que o lenhador grita "Madeira!", mas, de algum jeito, permanecendo em pé, em equilíbrio precário, sem saber para que lado poderia cair.

Enquanto eu deixava meus pensamentos fluírem, o barulho da chuva mudou, se tornou mais fino, como água pingando em um telhado de metal. Talvez houvesse um celeiro ou abrigo perto dali.

Caminhei em direção ao som, não por estar tentando encontrar sua origem, mas porque era a única direção em que o caminho estreito nos levava. O ruído foi se tornando mais alto e rítmico. Lembrei-me da risada da minha mãe, leve e musical. *A floresta deve estar brincando comigo*, pensei. Podia quase ouvi-la chamando meu nome.

Jackie, Jackie. Hora de jantar.

Meus passos eram mais rápidos, embora eu soubesse que a voz não era real. Provavelmente, era só o ruído do vento soprando entre as folhas.

— Você ouviu isso? — Early perguntou, me arrancando do devaneio.

— Não — respondi, sem querer revelar que minha imaginação havia desembestado como um cavalo picado por abelha. Além do mais, o que eu poderia dizer? "Ouvi o quê? Aquela mulher me chamando no meio do nada?" Ele ia pensar que eu estava maluco. — Ouvi o quê? — perguntei.

— Aquela mulher chamando —respondeu ele.

Ouvimos de novo, agora mais perto. O som cadenciado. *Tim, tim, tim. Tim, tim, tim.*

Sem aviso prévio, as árvores se abriram formando uma pequena clareira, onde havia um calhambeque enferrujado (que protegia da chuva uma toca de guaxinins embaixo dele), uma velha cabana de madeira, e uma mulher que parecia ser ainda mais velha, com uma longa trança grisalha que descia além da cintura. A trança balançava de um lado para o outro enquanto ela batia com um bastão de metal no interior de um triângulo, produzindo o som cadenciado.

— Martin! — chamava ela. — Hora do jantar.

Early e eu ficamos olhando para a longa trança balançando. Eu me perguntava se cada nó representava um ano de vida dela, como uma árvore tinha uma linha desenhada no tronco para cada ano de vida. Se fosse assim, a mulher tinha mais de cem anos. E a aparência combinava com isso.

— Ela é velha — cochichei para Early.

Ele balançou a cabeça.

— É anciã.

Fiquei parado entre as árvores, ainda tentando tirar da cabeça a voz da minha mãe me chamando, compreendendo que havia sido só aquela mulher velha chamando alguém cujo nome era Martin. Mas Early tinha os próprios planos, como sempre.

— Vai lá — falou ele, me empurrando para a clareira. — Ela disse que é hora de jantar.

A mulher parou de tocar o triângulo, o bastão de metal suspenso no ar.

Ela havia me visto.

— Ah, *aí* está você — disse. — Saia da chuva, vai acabar morrendo.

Cruzeiro do Sul

25

Olhei em volta para ver com quem ela podia estar falando, mas, de alguma forma, eu já sabia. Ela falava comigo. Foi o jeito como disse "Ah, *aí* está você" que me impressionou. Ela não perguntou "Quem é você?" ou "Quem está aí?", nem mesmo "Olha o que os ventos trouxeram".

Não, foi "Aí está você", como se estivesse me chamando, me procurando, me esperando há muito tempo.

— Venha — insistiu ela. — E traga o seu amigo. É Archibald que está com você? Ele esteve aqui hoje cedo. Acho que ele tem uma arma nova e queria se exibir. Falei que você voltaria para casa a qualquer minuto, mas ele disse que não podia esperar. Você sabe que deve voltar antes do jantar. — Ela saiu na chuva e pôs o xale sobre meus ombros, me guiando para dentro da cabana e revelando a idade em cada passo, em cada movimento. — Você também, rapazinho — disse a Early, pegando lentamente outro cobertor na varanda e colocando-o sobre ele. — Normalmente, Martin traz para casa gatos e cachorros perdidos e, às vezes, um menino perdido. Vamos nos apresentar. Eu sou Eustasia Johannsen. — A mulher estendeu a mão manchada e enrugada.

Early a apertou.

— Meu nome é Early Auden. Estou em uma cruzada.

— Ah, isso é esplêndido. Meu Martin também já esteve em uma cruzada. Queria experimentar sua nova arma. Caçou um coelho para o jantar? — ela perguntou, me envolvendo com um braço. — Não importa — disse a velha, antes que eu pudesse responder. — Tenho muita sopa na panela. E sua geleia favorita, e biscoitos. — Ela piscou para Early. — Agora, vão se lavar e trocar de roupa para o jantar. Early, pode se trocar no quarto de Martin. Ele tem roupas para emprestar enquanto as suas secam. Não demorem.

Ela entregou a Early uma lamparina a óleo e nos conduziu até um quarto nos fundos, onde poderíamos nos trocar, depois foi dar atenção a uma panela branca sobre o fogão.

Antes que eu tivesse tempo de fechar a porta, Early falou com sua voz alta demais:

— É sua avó? — E, antes que eu pudesse responder, acrescentou: — Não sabia que seu nome verdadeiro era Martin.

Fechei a porta com um tranco.

— Ela não é minha avó, Early. E meu nome não é Martin. Essa mulher está me confundindo com alguém.

— Estou com frio, Jackie. Pode me emprestar algumas de suas roupas?

Ele começou a abrir as gavetas.

— Essas roupas *não* são minhas, Early. É o que estou tentando lhe dizer...

Ele já havia deixado as roupas molhadas no chão e pegava uma calça e uma camisa da gaveta.

De repente, percebi que estava tremendo.

— Pegue uma roupa para mim também — falei, irritado. — Pelo menos podemos ficar secos até ela perceber que não somos quem pensa que somos. Ela é velha, deve ter um tataraneto que mora perto daqui.

Early olhava para os objetos no quarto.

— Nesse caso, por que as roupas dele estão aqui?

Olhei em volta. Havia ali uma cama de madeira bem-arrumada, coberta por uma colcha de flanela vermelha e azul. Vários livros abertos ocupavam a mesinha ao lado da janela. Um leitor de McGuffey.[1] *A Odisseia*. *Aritmética Prática*, de Quackenbos. As páginas eram meio amareladas, mas, no geral, tudo ali estava limpo e arrumado.

Peguei um lápis e uma folha de papel onde haviam vários problemas de matemática. O último não fora resolvido, como se o estudante tivesse decidido que era muito mais divertido ir lá para fora e abandonado o lápis ali mesmo.

— Os livros são muito velhos — comentei. — Acha que...
— Deixei o papel e o lápis sobre a mesa, considerando a pergunta que não terminei de fazer.

Early calçou um par de meias, tomando o cuidado de ajeitar a costura perfeitamente sobre os dedos, enquanto eu vestia uma calça que era um tanto dura e antiquada. Depois peguei um catálogo da Sears Roebuck de cima da mesa de cabeceira e comecei a folheá-lo, observando as fotos antigas de martelos, fogões, máquinas de costura e varas de pescar, todo tipo de produtos.

— Qual é sua geleia favorita? — falou Early.
— O quê? — perguntei, distraído com o catálogo.
— Sua vó disse que fez sua geleia favorita. É mirtilo ou morango? Eu gosto das duas. Espero que não seja de framboesa. Primeiro porque as framboesas tomaram chuva demais este ano, e o jornal disse que estão mais azedas que de costume. Outro motivo é porque não gosto de framboesa.

Uma coisa que aprendi sobre Early é que, quando ele mete uma coisa na cabeça, seja certa ou errada, é muito difícil convencê-lo do contrário. Sua cabeça é como uma daquelas armadilhas para lagostas que vi penduradas no abrigo de barcos na Morton Hill. A lagosta consegue entrar pela

---

[1] Coleção de livros direcionada ao ensino fundamental e organizada pelo professor William Holmes McGuffey, que reunia grandes clássicos da literatura e vendeu 120 milhões de títulos entre 1836 e 1960.

pequena abertura, mas não sai mais de lá. Com as ideias de Early acontecia o mesmo.

— Além do mais, framboesas parecem meio peludas, e elas têm aquelas sementinhas que ficam presas entre os dentes...

Parei de ouvir o que ele dizia quando vi uma foto no catálogo. Alguém havia feito um círculo em torno dela. "Rifle Winchester 1894 cano curto. $17,50. Iniciais gravadas por mais cinquenta centavos."

Aquele era o rifle "novo" que Eustasia Johannsen havia mencionado. Olhei a capa do catálogo. Foi publicado em 1894. Tentei organizar as coisas na minha cabeça, mas não conseguia nem formular a pergunta.

— Early?

— Sim?

— Tenho uma pergunta para você.

— Mas você ainda não respondeu à pergunta que *eu* fiz.

— Mirtilo — falei.

— Que bom. Gosto de mirtilo.

— Agora é minha vez?

— Sim.

— Muito bem. Minha pergunta é mais ou menos como um problema na aula de matemática. Se Martin Johannsen comprou um novo rifle Winchester 1894, usa roupas antigas que servem tanto em você quanto em mim, e tem lição de casa da oitava série para terminar, quantos anos ele tem?

— Depende. Se ele comprou o rifle novo em 1894 e se estava na oitava série, ele devia ter mais ou menos treze anos. Então, ele nasceu em 1881, e teria sessenta e quatro hoje, se ainda estivesse vivo.

— Sim, mas ele não usaria roupas maiores? E a sra. Johannsen disse que ele saiu para caçar hoje de manhã com o rifle novo. Não tem arma alguma neste quarto, e não vi nenhuma outra quando entramos.

Eustasia Johannsen chamou do outro aposento.

— Martin Johannsen, é melhor vir logo! E não tente me enganar fingindo que está terminando a lição. Não nasci ontem.

Early e eu olhamos um para o outro. Nós dois nos aproximamos da mesa e pegamos a folha com os problemas de matemática. A expressão dele era de confusão. Pelo menos percebia que alguma coisa muito estranha estava acontecendo ali.

— O que acha? — perguntei.

— Não pensei que tivesse lição de casa nas férias. E você errou a questão número quatro. É *menos* seis.

Não acreditei que ele ainda não havia entendido. A solução para o problema da história começava finalmente a tomar forma na minha cabeça. Eustasia Johannsen não achava que eu era seu neto ou bisneto. Ela achava que eu era o filho dela, Martin Johannsen.

— Vamos comer. — Early saiu do quarto antes que eu pudesse dizer uma palavra sequer.

A cabana era quente e aconchegante, mas mostrava sinais do tempo em todos os cantos. O tecido do sofá era gasto. O tapete trançado era desbotado e puído. As panelas esmaltadas e os pratos de porcelana estavam lascados. Até as cortinas de algodão eram desbotadas e gastas. No entanto, Eustasia Johannsen ainda era a mais velha de todas as coisas ali. Seu corpo se curvava sobre si mesmo como uma flor cujo caule não a sustentava mais. Mas o rosto pálido ganhou um pouco de cor, e os olhos eram azuis e brilhantes.

A cena bizarra se desenrolou comigo e Early sentados à pequena mesa da cozinha, jantando sopa de galinha e, muito estranhamente, biscoitos com geleia de mirtilo. Eu não tinha visto galinhas no quintal, e considerando a idade e a fragilidade da sra. Johannsen e o isolamento de sua casa no meio do labirinto de vegetação crescida, não conseguia imaginar como ela não morria de fome. Ela, porém, não deu nenhuma explicação. E, é claro, Early conduzia a conversa.

— Estamos procurando um urso. Você viu algum por aqui?

— Ah, não. Mas o Martin aqui é um ótimo rastreador. Agora que ele tem o rifle novo, passa horas e horas lá fora. — Seu rosto ficou mais sério. — Todos os vizinhos estão preocupados. Eles insistem em tentar me convencer de que deve ter acontecido alguma coisa com Martin, porque ele saiu há muito tempo. Eles disseram que eu tinha que encarar os fatos, que ele não ia voltar. Mas eu disse "Não!".

Ela me olhou com lágrimas nos olhos e tocou minha mão de um jeito delicado.

— Eu sabia que você ia voltar, Martin. Falei para eles. Falei: "Ele vai voltar, e preciso estar com o jantar pronto quando ele chegar". — A voz dela tremeu um pouco, e ela parou para recuperar o fôlego. — E aqui está você.

Já era chocante ser confundido com o filho perdido de uma mulher muito velha. Entretanto, o que ela disse a seguir foi ainda pior.

— Agora terminem o jantar. Depois, vocês dois podem sair e começar a cavar.

— Cavar? — disse Early. — Para procurar o quê? Fósseis? Pontas de flecha?

— Não. Vocês não vão cavar para procurar nada. Estou pronta para abandonar esta vida há muito tempo. Os vizinhos e conhecidos viviam dizendo: "Eustasia, você tem que abrir mão disso". Mas eu não podia. Não enquanto meu Martin não voltasse para casa. Agora que ele voltou, estou pronta para morrer. Ainda não há gelo congelando o chão, e não precisa ser nada muito fundo. Pouco mais de meio metro é suficiente.

— Tem certeza? — perguntou Early. — Você não vai querer que um animal a desenterre.

Engasguei e cuspi um pouco de sopa de volta à tigela.

— Bom, talvez tenha razão. — Eustasia Johannsen suspirou. — É melhor garantir que eu fique enterrada.

Pela enésima vez nos últimos meses, eu me perguntei como havia ido parar onde estava. Esses dois, Early Auden e Eustasia

Johannsen, pareciam ter sido feitos um para o outro. Por que ela não havia confundido *Early* com seu filho? A loucura de um combinava muito com a do outro, podiam ser felizes juntos. Pelo menos até Eustasia Johannsen começar seu descanso eterno na sua nova cova de meio metro de profundidade.

— Seu plano é morrer antes de entrar no buraco? — resmunguei, sem ter a intenção de ser ouvido por ninguém.

Eustasia e Early trocaram olhares divertidos, como se eu tivesse feito a pergunta mais ridícula que eles já haviam escutado.

— É claro que sim, querido — respondeu ela.

— Você achou que ela ia deitar no buraco e ficar esperando? — Early falou com aquele tom alto demais.

— Este corpo velho e gasto está se aguentando há tempo demais. Tive que convencê-lo a continuar vivo todos os dias. Continuar esperando. Continuar observando. — Ela juntou as mãos no colo, uma sobre a outra, e olhou para mim. — Não, este corpo concluiu seu trabalho de viver, e espero que ele também faça o trabalho de morrer, agora que estou pronta.

Early espalhou um pouco mais de geleia de mirtilo em seu último biscoito e o devorou.

— Pronto, Jackie? Precisamos começar a cavar.

Abri a boca, mas não falei nada. Em parte, porque não conseguia pensar em nada para dizer e, em parte, porque Eustasia Johannsen começou a dar instruções a Early, dizendo onde estavam as pás e onde ela queria seu túmulo.

— Tem duas pás bem boas no galpão de ferramentas e, é claro, gostaria de ser enterrada ao lado do pai de Martin, perto daquela figueira. Ele foi herói da Guerra Civil, sabe.

Bem, com louco não se discute, e decidi levar a cabo todas as loucuras que me mandariam fazer. Assim, levantei da mesa do jantar, peguei meu casaco e meu chapéu (ou deveria dizer o casaco e o chapéu de *Martin*?), e saí com Early.

Levamos alguns minutos para encontrar as pás no galpão de ferramentas, no meio da confusão de madeira cortada, latas de óleo enferrujadas, pontas de cigarro e ferramentas quebradas. Acabamos encontrando duas pás enferrujadas e, conforme as instruções, nos dirigimos à velha figueira que ficava perto de um túmulo identificado com o nome do coronel Jacob Johannsen. A lápide com o nome de Eustasia Johannsen e sua data de nascimento, 14 de julho de 1845, já estava pronta. Até eu consegui fazer a conta. Cem anos de idade.

A chuva havia parado, e vi Early apoiar o pé sobre a pá e enterrá-la no solo molhado, tirando a primeira porção de terra do túmulo de Eustasia Johannsen. Admito que me juntei a ele, mas só para dar a impressão de que estávamos ocupados, e o trabalho ajudava a nos aquecer no frio da noite. Além do mais, esperava que o ruído das pás abafasse o que eu tinha para dizer.

— Early — falei, decidido a chamar sua atenção. — Early.

— O quê? Algum problema com a pá? Pode usar esta aqui.

— Sim, tem um problema com a minha pá. Ela está cavando um túmulo para uma mulher que ainda não morreu.

— Eu sei que ela ainda não morreu. Mas está pronta para isso. Seu corpo velho e cansado está resistindo há tempo demais — falou ele, repetindo o que Eustasia Johannsen havia dito mais cedo.

— Mas ela não está morta. Ninguém pode decidir que está pronto para morrer e fazer a coisa acontecer.

Early parecia estar pensando nisso, deixando as engrenagens do cérebro examinarem a ideia de vários ângulos.

— Talvez não.

Finalmente eu conseguia penetrar naquela cabeça dura.

— Mas ela não está dizendo ao corpo para morrer; só parou de dizer para ele continuar vivendo. Você voltou, e ela vivia apenas para isso.

— Só que eu não sou o filho dela, Early! Ela é velha e está confusa. Devo ter a mesma idade que Martin tinha quando sumiu, talvez seja parecido com ele, mas eu tenho mãe. — Parei quando percebi que disse "tenho". No presente. Isso era errado. Ou não? Quando você tem mãe e ela morre, continua sendo sua mãe para sempre?

As pancadas da minha pá se tornaram mais fortes. A pilha de terra ao lado da cova crescia em proporção inversa ao buraco em que Early e eu agora estávamos metidos até as canelas. Minha respiração era rápida, e o suor escorria pelas minhas costas.

— Mas se você não é Martin... — Early apoiou a pá na frente dele. — Ela vai ter que continuar esperando. Vai esperar e fazer o corpo aguentar. Mesmo estando pronta.

Continuei cavando, e agora um estranho sentimento de responsabilidade crescia enquanto eu pensava no que Early havia dito. Eustasia Johannsen estava pronta. Qualquer um podia ver isso. Tudo na anciã era evidência disso: a pele, enrugada e transparente, cobria seu corpo como um manto fino que havia sido lavado e secado mais vezes do que podia aguentar. O cabelo da cor da neve suja em fevereiro, esperando a hora de dar lugar à primavera. Os dentes que restavam, tortos e amarelados, e os outros desaparecidos. Mas, principalmente, os olhos. Eram fundos, como se as lembranças ocupassem mais espaço em seu campo de visão do que as coisas que ela realmente via.

Balancei a cabeça.

— Não sou o filho dela. Não sou Martin.

Quando Early puxou a pá em direção ao peito, senti um movimento atrás de mim. Era Eustasia Johannsen. Virei-me e a vi encolhida contra o frio, o xale solto sobre os ombros e os longos cabelos grisalhos batidos pelo vento gelado.

Ela me ouviu. Vi em como ajeitou o xale sobre os ombros, como se acrescentasse mais uma camada de pele para se fortalecer. Para reunir suficiente calor e substância e convencer o corpo a aguentar mais um dia, e depois outro.

— Sra. Johannsen, eu...

— Shh. — Eustasia Johannsen levantou a mão, a atenção voltada para a floresta. Ela olhava para as árvores procurando um lampejo de um casaco de menino, ou o brilho de um rifle Winchester novo. — Martin vai chegar logo. É melhor eu ir preparar o jantar. Ele sempre tem a fome de um urso quando volta. — E se aproximou um pouco do labirinto de árvores e arbustos, procurando de novo.

Apoiei a pá contra o tronco da figueira, e Early fez o mesmo. Mais uma vez, era hora de irmos. Tínhamos que voltar à casa para pegar as mochilas na varanda. Nossas roupas e nossos casacos estavam penduradas ao lado da lareira, quase secos, e nos trocamos sem dizer nada.

Saímos da casinha prontos para retomar nossa jornada, mas, primeiro, Early se aproximou de Eustasia Johannsen e fez aquilo que eu não tinha coragem de fazer. Pôs mais um xale sobre os ombros dela, prendendo-o embaixo de seu queixo.

— Obrigada, meninos. Espero que voltem logo para me visitar. Martin vai gostar de conhecer vocês. — E ela nos deu as costas e entrou na casa.

De algum jeito, quando Early e eu voltamos para o meio das árvores, o labirinto parecia ter perdido sua força, e o caminho surgiu um pouco mais claro que antes. Penduramos as mochilas nas costas, tentando reunir mais calor e substância para seguirmos em frente, para dar mais um passo atrás do outro.

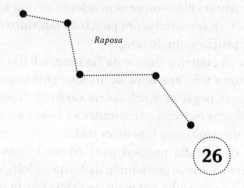

Raposa

26

O dia seguinte foi preenchido por um silêncio triste. Era fácil esquecer que Early tinha sentimentos. Normalmente, ele estava sempre muito focado em uma coisa ou outra. Os acontecimentos de Pi, construir um barco ou a cruzada em busca do grande urso. Ou apenas ouvir Billie Holiday em um dia chuvoso. Mas, de vez em quando, eu lembrava que Early não era só um gênio da matemática e não era apenas um menino em uma busca maluca. Ele era um garoto de verdade com sentimentos de verdade. E nesse momento, ele estava magoado.

— Sei que está bravo comigo — falei, enfim.

— Não estou. É que me enganei sobre ela, a Velha da história de Pi. Pensei que fosse uma bruxa ou uma feiticeira. Alguém que atraía Pi para longe de sua vida real. Mas Eustasia Johannsen é só uma pessoa triste porque perdeu o filho. Passou todos esses anos esperando ele voltar. E quando pensou que a espera tinha acabado, agora tem que voltar a esperar e observar tudo de novo.

De alguma forma, eu sentia que Early culpava a mim. Como se não ser Martin Johannsen fosse culpa minha.

— Mas é o sujo falando do mal lavado! Se é tão importante superar e não esperar alguém que não vai voltar, por que estamos procurando um urso idiota nessa porcaria de trilha, onde, supostamente, vamos encontrar seu irmão que também não vai voltar?

Foi tudo tão rápido, que quase não tive tempo para ouvir minhas próprias palavras antes de Early pular em cima de mim e me jogar no chão. Ele me segurou contra a terra molhada e coberta de folhas, e os braços começaram a se mover dando socos que eu mal conseguia sentir através do casaco estofado.

— Não fale assim, Jackie. Fisher não está morto. — Os punhos marcavam as palavras. — Ele só está tendo dificuldade para encontrar o caminho de volta. E se disser algo diferente...

De repente, os braços dele pararam. Uma ruga apareceu na testa do garoto, e ele limpou o nariz na manga. Ainda estava sentado em cima de mim, e pensei que estivesse à beira de mais um surto, mas subitamente ele arregalou os olhos e disse:

— Puxa vida, Jackie! Olha aquilo!

— Não consigo olhar muita coisa enquanto você não sair de cima de mim!

Ele escorregou para o lado e manteve o olhar fixo no chão. Sentei para ver o que era tão importante a ponto de ter interrompido seu ataque.

Lá estava. Claro como o dia, visível no solo molhado. Uma pegada de urso do tamanho de uma assadeira de torta.

Havíamos aprendido o suficiente com Gunnar para reconhecer uma pegada de urso. Molhada como estava aquela ali, devia ser recente. E era grande.

Pus a mão sobre a pegada.

— Puxa vida — repeti. Early e eu engatinhamos até a pegada seguinte que, sabíamos, estaria logo adiante, bem na frente da primeira. E lá estava. Encontramos seis pegadas antes do local onde o urso devia ter trocado a terra por um caminho de pedras.

Eu me sentia grato pela distração, porque agora Early não estava mais bravo comigo.

— Vamos — falei. — Podemos tentar segui-lo.

Early e eu encontramos galhos quebrados e uma árvore cuja casca havia sido rasgada. Essas pistas nos levavam para o norte, cada vez mais para longe da trilha, mas era bom sentir que fazíamos progresso, mesmo que fosse para achar um animal feroz. Notei a animação nos passos de Early e deduzi que ele sentia o mesmo.

E, de alguma forma, eu me envolvia com as histórias que Early contava sobre Pi, começava a tentar adivinhar como os limites entre história e vida real se fundiriam. Vagávamos há dias, entrando e saindo da Trilha Apalache, e agora ali estávamos, procurando o grande urso. E tudo isso começava a parecer cada vez menos maluco. Eu estava ficando preocupado.

De acordo com o professor Stanton, os números do pi acabariam em algum momento. O que aconteceria quando achássemos o grande urso e não houvesse nenhum Pi? E nem Fisher? Meus passos se tornaram mais pesados enquanto seguia Early. Eu tinha certeza de que ele se encaminhava para um grande desapontamento. Porém, por outro lado, pelo menos Early sabia o que estava procurando, sem levar em consideração se de fato encontraria o que buscava.

O que é mais importante?, pensei. *Procurar ou encontrar?* Minha mãe diria que era procurar. Meu pai, encontrar.

— Não temos mais pistas — disse Early.

— Percebi — resmunguei.

— Mas sabemos que estamos indo na direção certa.

Não respondi nada.

Caminhamos em silêncio, ouvindo apenas o farfalhar de folhas e um ou outro pica-pau entortando o bico.

— Fisher sempre diz que "se não sabe onde vai, nunca vai chegar lá".

— Ah, bom, minha mãe sempre dizia: "Você vai acabar chegando lá, mesmo que tenha que ir a todos os outros lugares antes". — *Pronto*, pensei.

— Fisher diz: "Você sempre encontrará o que procura no último lugar em que for procurar".

Típico. Early precisava ter a última palavra. Mas não desta vez.

— Minha mãe dizia: "Você não precisa olhar duas vezes embaixo do rabo de um burro, pois já sabe o que vai encontrar lá".

— Fisher diz: "Use sempre cueca limpa, pois nunca se sabe..."

— Tudo bem, você venceu! Agora pode parar de falar sobre Fisher?

Early calou a boca. Por um tempão. Ele podia ficar zangado, eu não me importava. No entanto, depois de um tempo, o silêncio me incomodou.

— Como era Fisher? — perguntei, tentando quebrar o gelo entre nós. — Vi a foto dele na estante de troféus na escola. Ele parecia estar no topo do mundo.

— Acho que sim.

— Quero dizer, ele parecia saber que podia fazer qualquer coisa que quisesse.

— Acho que sim.

— Mas — continuei, tentando fazer Early falar — ele provavelmente não se daria bem em uma cruzada como esta. Quero dizer, isso não é um campeonato que você pode vencer e levar um troféu para casa.

— Fisher não se importava com troféus. Ele jamais ganhou um troféu por ser o melhor em prender a respiração embaixo d'água. Não tem troféu para esse tipo de coisa. Mas conseguia prender a respiração por mais tempo que qualquer pessoa. É por isso que sei que não está morto.

— Porque ele conseguia prender a respiração embaixo d'água por muito tempo?

— Sim. Eram nove homens no batalhão dele. Os alemães vinham do lado norte da ponte. O abrigo foi atacado pelo lado sul. Um homem tinha que nadar para levar os explosivos para o outro lado do rio, para baixo do outro lado da ponte. Fisher deve ter se oferecido para essa missão. E deve ter tirado as plaquinhas de identificação, porque elas fariam barulho ou refletiriam a luz da lua. E ele deve ter nadado por baixo d'água para não ser visto.

— Como você sabe que havia lua naquela noite?
Eu sabia que Early tinha uma resposta antes de ouvi-la.

Ele pegou o diário de capa de couro da mochila, revelando várias anotações e artigos manuscritos sobre as correntes do rio, padrões da água, fases da lua, explosivos, detonadores, equipamento bélico à prova d'água.

— Onde achou tudo isso?

— Na *Enciclopédia Britânica* e no *Almanaque do Velho Agricultor*. Até escrevi para o Departamento de Guerra. Não recebi resposta, mas acho que eles estão ocupados.

Olhei para a confusão de anotações, desenhos, cartas e artigos. Era uma mistura de informações.

— Olha aqui, onde diz...

Eu já tinha escutado o suficiente.

— Early, pense um pouco. Se ainda estivesse vivo, onde ele estaria? Por que o Exército afirma que ele está morto?

— Porque ele se perdeu — Early respondeu, pegando de volta o diário como se eu fosse um incrédulo indigno de conhecer a verdade contida nele. — Como Pi. E temos que encontrá-lo.

— Bem, isso é bom então, porque Pi saiu do labirinto, e tenho certeza de que ele vai ficar bem — falei, sem saber por que encorajava a fantasia de Early e, ao mesmo tempo, desejando que alguém fizesse o mesmo por mim.

— Não — Early respondeu olhando para o chão, como se a trilha pudesse nos levar a Fisher, Pi e ao grande urso, tudo ao mesmo tempo. — Encontrei mais números, mas a história está toda enrolada. E não consigo encontrar mais nenhum algarismo. Pi está desaparecido.

— O que aconteceu? Você disse que ele tinha conseguido sair do labirinto.

— Ele encontrou as catacumbas.

CATACUMBAS
•⋯⋯• *A história de Pi* •⋯⋯•

Pi não percebeu que estava procurando as catacumbas, até tropeçar nelas. Ainda levava na mochila o colar de conchas, que era pesado. Tanto que, quando ele entrou em um riacho e lavou o suor do rosto, a bolsa mudou de posição e o desequilibrou. Escorregando nas pedras, ele caiu na correnteza rápida, e o peso o puxou para baixo. Pi tentou passar a alça por cima da cabeça, mas não conseguia se livrar da mochila.

Finalmente, a corrente o levou por cima de uma barragem, e ele foi parar em uma bacia profunda. Batendo os pés e movendo os braços, tentou subir à superfície, mas a água era agitada à sua volta. Quando enfim emergiu, ele se agarrou a alguma coisa sólida e puxou o corpo para fora da água. Molhado e meio afogado, ele viu que estava em uma pequena caverna. Um pouco de luz entrava por trás das cachoeiras, mas foi só dar alguns passos para o interior que e a caverna ficou escura. Porém, os olhos se ajustaram e Pi conseguiu ver fios de luz dentro da escuridão. Ou podiam ser sombras menos escuras que a caverna em torno delas. Ele sabia onde estava, e conhecia os espíritos irmãos que vagavam por aquelas cavernas. A umidade. A escuridão.

As paredes que pareciam pressioná-lo. Tudo denunciava um lugar onde as pessoas iam para enterrar seus segredos mais sombrios e os tesouros que pudessem ter.

Ouvia as vozes, os sussurros, os suspiros daquelas almas que não conseguiam abandonar seus fardos. Agarravam-se a eles como se fossem pedras preciosas que davam a elas peso e consistência.

Pi entendia a necessidade de se apegar. De não abrir mão da própria dor. Ela havia se tornado parte dele. Quem seria sem essa dor? A ideia o amedrontava. Ele vagou pelos salões das catacumbas como as outras almas, meio mortas e meio vivas.

Mas o equilíbrio entre vida e morte é precário. Depois de um tempo, Pi sentiu esse equilíbrio mudar dentro dele. E a mudança o deixou tonto. Ele deu mais um passo, e onde esperava encontrar chão sólido, só havia um abismo escuro. Sem nenhum ruído, sem um suspiro sequer, ele desapareceu.

Parei de andar.

— E o que isso significa? O que aconteceu com Pi?

— Não consigo encontrar outros — Early falou sem interromper a caminhada. — Tem um monte de zeros. E os números mudam de cor. Mas vamos em frente. Temos que continuar procurando. A Ursa Maior é uma mãe ursa, e o amor de uma mãe é forte. Ela vai encontrá-lo. E nós temos que *encontrá-la*, porque ela vai nos mostrar o caminho.

Continuei parado, pronto para desistir daquela história, mas alguma coisa atraiu meu olhar.

— Olha — falei. — Mais pegadas de patas. — Apontei, ainda no mesmo lugar.

— O que é? — perguntou Early. — O que está vendo?

Toquei a substância molhada no chão e esfreguei dois dedos contra o polegar.

— Sangue.

Dava para ver que Early ficou abalado com as manchas vermelhas. Ele abaixou e deslizou um dedo por cima de uma delas.

— São como os zeros. Líquidos e vermelhos.

— Early, escute, podemos encerrar tudo isso agora. Podemos voltar para a escola...

Eu nem terminei de falar tudo que estava pensando.

— Não. Tem mais números. Tem. Eu só não consigo encontrá-los. — Ele segurou as laterais da cabeça e se balançou para frente e para trás abaixado como estava. — Tem mais números. Pi não está morto. Fisher não está morto. Temos que continuar procurando.

— Mas e se o urso estiver machucado? — perguntei. — Ele pode estar ferido. E pode nos matar.

— Vamos segui-lo.

Ele já estava andando de novo, seguindo as pegadas. Em parte, eu sabia que aquilo era bobagem. Mas alguma coisa ganhava vida em mim. Havia começado dias antes e cresceu durante essa jornada. Seria curiosidade? Espírito de aventura? Eu sentia mais que era uma necessidade. O que quer que fosse, era forte.

Deixei Early ir na frente e o segui por um caminho que parecia velho e novo ao mesmo tempo. Velho o bastante para ter visto os passos de caçadores e guerreiros nativos, conquistadores espanhóis e peregrinos ingleses. Novo o suficiente para abafar o caminhar de novos exploradores tentando encontrar seu rumo. Era o que a *National Geographic* teria dito, pelo menos.

As pegadas apareceram nítidas por um tempo; depois voltaram a sumir. Porém, continuamos na mesma direção da melhor maneira possível, tentando encontrar outros sinais. O céu havia ficado encoberto, e o que antes era azul, agora era cinza e pesado. O ar frio entrava em nossos casacos e tocava nossos ossos.

Eu andava atrás de Early, tentava acompanhar seu ritmo e sua determinação. Quando já pensava que podíamos ter perdido a pista do urso, Early apontava uma árvore cuja casca havia sido tirada. Eu poderia dizer que qualquer urso podia ter tirado a casca daquela árvore, mas a verdade era que não havia outros animais daquela espécie capazes de alcançar aquela altura, dois metros e meio do chão, e deixar marcas tão grandes no tronco. E havia manchas de sangue na casca.

Nossa respiração condensava toda vez que respirávamos, lembretes de que estávamos vivos e respirando. Uma coisa que — eu começava a perceber — não devia ser tratada como algo garantido.

Quando nossos passos foram ficando mais silenciosos, e mais e mais folhas caíam de seus lugares nas árvores, era como se todas as cores e todos os sons tivessem sido removidos e deixados para trás também.

Tudo na floresta ficava quieto e parado, mas nós ainda seguíamos os rastros do urso. Cada som, cada sombra, tudo enganava e provocava. Uma coruja piando, um galho que se partia, um ramo balançando, tudo era mais estranho e mais sombrio. No entanto, eram as sombras que mais brincavam com minha imaginação. A escuridão atrás de uma árvore. Um movimento visto com o canto do olho. Tinha alguém ali?

— Ouviu isso? — perguntei a Early. — Esse rangido, como se alguma coisa estivesse sendo esmagada. — Pensei que poderiam ser as cascas de castanha.

Nós dois paramos e ouvimos. Silêncio.

— Vamos — chamou Early.

De repente percebi horrorizado que, enquanto seguíamos *rastros*, também deixávamos os nossos. Pegadas que alguém podia ver, tocar e... seguir.

O medo crescia em mim e precisava ser controlado. Cheguei mais perto de Early e tentei me distrair. Assobiei algumas notas de "Old Man River", mas soou sinistro demais. Além disso, a canção não havia sido feita para ser assobiada.

Então, deixei minha mente vagar. Grande erro. A história que Early contou sobre Pi ganhou corpo em minha cabeça e continuou mostrando o jovem navegador na Terra de Almas Perdidas, onde as pessoas eram meio mortas e meio vivas.

Em pouco tempo, tudo à minha volta parecia ter saído diretamente daquela história. Árvores pareciam meio mortas e meio vivas com seus galhos pelados, retorcidos e despidos de casca.

No entanto, nada demonstrava mais a falta de vida daquela área do que o que vimos além das árvores, em um acampamento de lenhadores abandonado. Havia algumas construções — barracos, na verdade — onde os lenhadores deviam ter morado; um buraco para fogueira onde nenhuma refeição era aquecida fazia tempo; várias toras abandonadas e espalhadas como se tivessem caído de uma carroça, ninguém se preocupou em descer para ir pegá-las de volta.

Early e eu ficamos olhando para aquele acampamento fantasma, procurando sinais de vida, fosse meio morta ou não.

— Deve ser aqui — disse Early. — É exatamente como os números descrevem. Elas devem estar aqui. As almas perdidas.

— Não tem ninguém aqui, Early. Olhe só para esse lugar. Deve ter sido abandonado há anos. Talvez tenham se mudado para o acampamento mais ao norte, onde tem mais árvores.

Porém, enquanto eu falava isso, ouvi um barulho dentro de um dos barracos. Um som baixo, um "plinc, plinc, plinc", como se um fantasma batesse com uma colher de metal em uma panela. Early e eu fomos juntos até o barraco, e ele estendeu a mão magra e pálida para empurrar a porta. Um rangido acompanhou o movimento, e nós entramos no casebre de madeira muito frio e quase vazio. No centro da sala, porém, havia uma mesinha de madeira com uma cadeira, e um pratinho e uma xícara pequena em cima dela.

Uma cortina balançava na janela aberta, dando uma sensação de vida à sala, mas era só o vento. De novo aquele ruído. Early olhou em volta, depois se aproximou da mesa e levantou a xícara alguns centímetros. "Plinc, plinc, plinc." Era o barulho de uma goteira no telhado arruinado, pingos de chuva caindo um a um sobre a xícara.

O prato, a xícara, a cortina. Sinais de ocupação, talvez até de hospitalidade oferecida a um colega lenhador ou um viajante, mas a lareira não produzia calor. O prato não tinha comida. Talvez houvesse habitantes fantasmas, do tipo que não estavam à mercê dos elementos e não precisavam mais de comida ou bebida.

Eu pensei: *Se uma pessoa está meio viva e meio morta, que metade dessa pessoa precisa de comida e calor? A outra metade ainda se importa com isso?*

A chuva pingava mais depressa na xícara na mão de Early. O jeito como ele ficava ali parado, segurando o recipiente no lugar para pegar os pingos, fazia meu coração doer. Era como ver um pobre menino mendigo suplicando por almas e recebendo só algumas gotas de água. As coisas eram sempre assim? As pessoas estendiam a mão sem nunca receber o que pediam?

Eu queria falar com Early: "Deixe a xícara aí. Não vai conseguir nada. Ela nunca vai encher".

Mas o garoto colocou a xícara sobre a mesa embaixo dos pingos que caíam.

— Vamos — disse ele.

Talvez estivesse finalmente terminando aquela cruzada. Talvez desistisse do fantasma de Pi e do fantasma do irmão.

— Você tem razão — falou ele.

Incrível. Eu nunca tivera razão sobre nada na opinião dele.

— Temos que continuar em direção ao norte. É o que Pi teria feito. Ele teria seguido a Ursa Maior.

Eu nem discuti. Rumamos para o norte.

Íamos para onde os rastros do urso nos levavam, e agora estávamos desorientados. Não tínhamos como saber se estávamos perto da verdadeira Trilha Apalache. O terreno ia ficando mais acidentado à medida que progredíamos. Mais inclinado e cheio de pedras, tão molhado da garoa que estava perigosamente escorregadio.

— Não vemos pegadas há algum tempo, Early. Como vamos saber que estamos no caminho certo?

— Os números. — A resposta dele foi direta. — Eles ficam muito duros e irregulares.

— Duros e irregulares, é? A cama em que eu dormia no verão era dura e irregular. Talvez Pi esteja deitado em um colchão cheio de calombos em algum lugar, ouvindo *Flash Gordon* ou *Super-Homem* no rádio.

Early não achou que aquilo era provável ou engraçado.

— Pi não tem rádio. E se tivesse, estaria ouvindo Billie Holiday, porque...

— Está chovendo, eu sei, eu sei.

Estava chovendo, e também estava ficando escuro. O céu roncou, ameaçando ainda mais chuva.

— É melhor encontrarmos uma rocha para nos proteger durante a noite. Escolha uma, e veja se ela não vai rolar em cima de nós.

Havia muitos cantos e buracos entre os quais escolher. Formações rochosas que tinham nichos e reentrâncias formados por geleiras há muito tempo. Mas, até então, não tínhamos visto nenhum espaço grande o bastante para acomodar nós dois.

— Vá pela esquerda que eu vou pela direita. Assim aumentamos as chances de encontrar um lugar antes da tempestade desabar.

— Tudo bem. Eu vou pela esquerda. E grito se encontrar alguma coisa — respondeu Early.

— Certo. Faça isso.

— Aí você vai me encontrar.

— Isso, Early. Entendi.

— Preparar, apontar, fogo.

Partimos em direções opostas.

Geleiras são coisas engraçadas. Grandes volumes de gelo que, quando recuam, deixam para trás todo tipo de coisas interessantes. Cachoeiras, desfiladeiros, rios, cavernas e profundos poços glaciais. Early e eu devíamos ter encontrado um museu de arte do gelo. Procurando um lugar para acampar, eu me deparei com uma cena que poderia ter saído de uma página da *National Geographic*. O caminho arborizado por onde eu andava me levou até um rio de águas rápidas. O som da correnteza enchia o ar à minha volta. Era bom não ouvir trovões, ursos ou piratas, nem mesmo Early. Pisando sobre pedras e troncos caídos, fui progredindo até a água e subi o rio aos pulos, escorregando e saltando de uma base a outra até encontrar algumas plataformas grandes de pedra cercadas por piscinas de água que parecia ser profunda e escura. Uma névoa fina salpicava meu rosto, mas não estava chovendo, e o barulho de água corrente ficou mais alto.

As plataformas de pedra eram grandes o bastante para eu poder andar em torno das piscinas e contornar uma curva. Fui parar em uma espécie de desfiladeiro pré-histórico formado por milhões de anos de água passando por suas fendas e por cima das laterais. E agora, depois de todo esse tempo, a água continuava seu trabalho. Uma grande cachoeira despencava do alto do desfiladeiro, despejando um suprimento infinito de água gelada em um poço que parecia não ter fundo.

Fechei os olhos, deixando o barulho e o salpicar da água me dominarem. Querendo ser tragado por eles. Querendo ser lavado por eles, lavado até ficar limpo. Na igreja eles chamariam isso de "ser absolvido". Mas absolvido de quê? Eu me sentia culpado por causa da minha mãe? Não fiz nada. Era exatamente isso: não *fiz* nada. Eu nem estava lá para ajeitar o travesseiro dela, pôr uma compressa fria em seu rosto, arrumar o cobertor. Segurar a mão dela. Eu não estava lá. Estava no celeiro. A água despencava à minha volta. Como você pode ser absolvido de ter sido ausente? Na cabeça matemática de Early, isso seria como subtrair nada de nada. Você ainda fica com...

De repente, na cascata de água, vi um lampejo de cor, e meu estômago deu um nó. Alguma coisa jogada da beirada do desfiladeiro? A cor ficou suspensa na cachoeira por um breve instante, depois desapareceu. Esperei para vê-la sair da queda d'água e entrar na correnteza lá embaixo. Mas isso nunca aconteceu. O objeto colorido foi jogado no fundo do poço? Levei um segundo para perceber por que meu estômago estava amarrado em um nó que não se desfazia, por que eu procurava com tanto desespero o lampejo de cor e esperava emergir da correnteza: era vermelho com estampa xadrez.

Olhei para a cachoeira. Pular daquele desfiladeiro provavelmente seria mortal, especialmente com aquele volume de água despencando em um grande lençol. Early não poderia ter chegado lá em cima tão depressa, poderia?

Onde devo procurar? Em que direção devo ir? Agora a chuva caía, um milhão de novos pingos de água se juntando à torrente que passava por mim. Qualquer coisa que descesse com a cachoeira seria levada em uma única direção. Eu sabia que fazia sentido seguir a água. Mas aquele lampejo de vermelho e o jeito como ele havia pairado na queda d'água me prendia ali. A cor não tinha vindo do alto da cachoeira. Veio de trás dela. Meu curso estava determinado. Eu havia escolhido seguir aquele xadrez vermelho nessa cruzada quando não tinha outro farol ou marco para seguir. E o seguiria mais uma vez. Virei em sentido contrário ao do rio e segui para a cachoeira.

O estrondo e a força da água eram impressionantes. Cada passo era uma luta enquanto eu tentava continuar de pé na margem rochosa e enxergar com todas aquelas gotas lavando meu rosto. Eu seguia para a inclinação que subia até o topo do desfiladeiro. Quando estudava a subida, procurando apoios para os pés e raízes de árvores às quais me agarrar, notei um caminho estreito se afastando da margem e seguindo, aparentemente, para dentro do rio. Havia pegadas nele.

Early não teria andando para dentro da cachoeira. O que poderia estar procurando? De novo eu o segui, três, quatro, cinco passos. Então o caminho chegou ao fim. Restavam apenas rochas escorregadias que se projetavam para a água. Não havia pegadas saindo dela. Early não tinha voltado. Devia ter seguido em frente andando sobre as pedras. Eu fui atrás dele. Uma pedra, duas pedras, três pedras.

Quando tinha a impressão de que o próximo passo me levaria para o meio da cachoeira e que eu seria levado por ela, consegui ver um caminho estreito de pedras, quase invisível sob a água escura, que levava para trás da forte queda d'água. Amedrontado e eufórico, fui pisando com cuidado, um pé na frente do outro, pelo caminho escorregadio. Até que as pedras acabaram. Não consegui ver mais nenhum apoio para o próximo passo. Como continuar andando sem ver o caminho à sua frente? Mas não era isso que eu fazia desde o início da jornada com Early? Pus o pé onde imaginava que Early havia posto o dele, respirei fundo e saltei. E aterrissei em uma base sólida. A água ainda despencava à minha volta, enchia meus ouvidos e ecoava pela caverna de pedra em que eu estava.

— Early? — chamei, mas mal conseguia ouvir a mim mesmo. Segui em frente para o interior da caverna. Onde eu estava? Que lugar era aquele? E onde estava ele? — Early? Onde você está? — Ouvi o eco da minha voz. O espaço devia ser maior do que eu pensava. E estava escuro.

Peguei a lanterna na mochila, agradecido por Gunnar tê-la colocado ali. A luz acesa revelou padrões irregulares de pedra muito antiga. Procurei desenhos feitos pelas pessoas que haviam morado na caverna muito tempo atrás. O que teriam desenhado? Eu não sabia muito sobre o povo nativo do nordeste americano. No Kansas, os antigos moradores teriam desenhado bisões, milho e lanças. Acho que não era muito diferente do que qualquer artista primitivo poderia ter desenhado. Animais, comida e armas. O básico.

Eu precisava pensar como Early. Para o garoto, essa não era só uma caverna que ele havia encontrado por acaso. Ele a havia procurado. E encontrado. Apontei a luz para a esquerda, depois para a direita, e vi que o espaço ou o salão onde eu estava levava a outro cômodo logo além dele. Fechei os olhos, depois os abri tentando ver o ambiente como Early o veria.

Vi as mesmas paredes de pedra, as mesmas cavernas escuras. E, de repente, vi o que Early via. *Catacumbas.*

Pi havia se perdido nas catacumbas.

Deslizei a mão pela pedra arredondada da entrada da caverna seguinte, ainda tentando me colocar na cabeça de Early. Parecia familiar. Ou, talvez, só me lembrasse de alguma coisa. Talvez fosse só como estar na cabeça de Early. Muitos nichos e recantos interessantes e túneis daqui para lá, e de lá para cá. Um lugar onde alguém podia se perder por muito tempo. Mas Early nunca parecia estar perdido. Sempre sabia onde estava e para onde ia.

Eu ainda ouvia a água do lado de fora, o rio correndo em volta daquele lugar. Mas, dessa vez, também ouvia o rio Allier no território central da França. E tocando a passagem de pedra, senti os arcos da ponte Gaston.

O segundo salão levava a outro. E outro. Havia uma luz adiante. Desliguei a lanterna e andei em direção à abertura, que era iluminada por uma lamparina que já devia estar lá desde antes, porque Early não tinha uma. Mas ele tinha fósforos. Entrei na sala e peguei a lamparina... e lá estava o casaco vermelho de estampa xadrez. Early estava caído no chão de terra, imóvel.

— Early. — Minha voz soava crua. Ele não se moveu. Eu abaixei, mas, pouco antes de tocá-lo, percebi que havia alguma coisa errada. O casaco era o dele, mas o garoto não o vestia. Estava apenas em cima dele. Levantei a lanterna e me aproximei um pouco mais. A forma do corpo também estava errada. Levantei um pouco a manga do casaco.

— Early? — repeti sussurrando. Dessa vez, torcendo com todas as minhas forças para não ser ele.

A jaqueta estava enroscada em alguma coisa, por isso a puxei, depois pulei para trás como se tivesse visto um fantasma. Mas não era um fantasma. Era um esqueleto, com dedos de ossos e tudo mais.

— Mas o qu... — Pulei para trás, derrubei a lanterna e bati a cabeça no teto de pé-direito baixo. Meu coração disparou, minha cabeça doía. Na escuridão completa, toquei a parte de trás da cabeça e senti alguma coisa morna e densa. Sangue.

Então ouvi uma respiração no ambiente. Uma respiração que não era a minha.

Tateei em volta procurando a lanterna. Devo tê-la deixado em algum lugar quando entrei. Movendo a mão de um lado para o outro no escuro, esperava não pegar um pé do esqueleto. *Encontrei!* Liguei a lanterna. A luz estava ficando mais fraca, mas ainda era forte o bastante para me deixar ver o local. E lá estava Early. Ele estava sentado, encolhido contra a parede, a cabeça apoiada sobre os joelhos. E estava chorando.

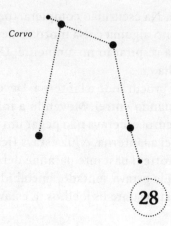

28

Sangue e ossos. Que combinação. Eu estava quase desmaiando. Dobrei o corpo para a frente a fim de fazer o sangue fluir de volta ao cérebro e contei até dez em voz alta. Eu fazia isso quando era pequeno e queria me distrair de cortes e arranhões.

— Um... dois... três...

Mas Early me corrigiu.

— Os um desapareceram.

— Quatro... cinco... seis...

— Só tem um cinco nos últimos cem dígitos.

— Sete... oito... nove...

Ele olhou para o corpo coberto.

— Esse não é Fisher, se é isso que está pensando.

— Dez. — Levantei, sentindo-me ainda um pouco tonto, mas sabia que não ia mais cair.

— É claro que não é Fisher. Mas quem é?

— Dê uma olhada mais de perto — disse Early.

— Olha você.

— Você.

— Você!

Dessa vez, eu não ia ceder. Além do mais, Early parecia já saber a resposta.

— Early, quem é?

— Martin Johannsen.

— Quê? Não pode ser. Ele desapareceu há mais de cinquenta anos.

— Veja o que está preso no paletó dele.

Eu não queria olhar. Mas precisava. Early já havia olhado, e estava vivo.

Estendi a mão e puxei o casaco xadrez de Early, apenas o suficiente para revelar o paletó azul embaixo dele. Lá, presa sobre o bolso do peito, havia uma medalha da Guerra Civil. E havia também um buraco de bala aberto no paletó, logo abaixo da medalha. Um pedaço de papel escapava do bolso. Era um recibo. "Rifle Winchester 1894 — $18,00."

Early voltou a cobrir Martin Johannsen com o casaco e alisou as dobras com todo cuidado, como se estivesse acomodando o rapaz morto para uma boa noite de sono.

— Quem pode ter feito isso com ele? — perguntei. — Atirado, quero dizer, e depois deixado o corpo aqui?

— Foi um acidente.

Early era assim. Sempre muito seguro. Para ele, não tinha *talvez*. Não tinha adivinhação. Não tinha especulação.

— Tudo bem. Mas como você sabe que foi um acidente? Talvez o jovem Martin aqui tenha encontrado alguém que estava fazendo alguma coisa errada. Pode ter sido um bando de arruaceiros contrabandeando uísque ou jogando, e eles não quiseram correr o risco de o rapaz escapar e delatar o esconderijo. Por isso o mataram. Ou Martin interferiu em uma briga, e os dois encrenqueiros decidiram que era melhor atirar nele, em vez de um no outro.

Early não respondeu.

Cruzei os braços sobre o peito, tomado pela satisfação de ter aberto alguns furos na avaliação de Early sobre o que havia acontecido com o pobre Martin Johannsen. Interpretando seu silêncio como um raro reconhecimento de derrota, decidi ser um bom esportista e deixá-lo em paz.

— Bom, não tem absolutamente nada que possamos fazer por ele agora — falei.

— A mãe dele está esperando. Temos que levá-lo para casa.

— É um pensamento bom, Early, mas não sei se somos as pessoas certas para transportar os ossos.

— Quem mais vai fazer isso?

Foi a minha vez de ficar sem resposta. O pobre Martin Johannsen estava ali há mais de cinquenta anos, e fomos os únicos a encontrá-lo. Talvez isso nos fizesse meio responsáveis por ele.

— Tudo bem, mas não podemos jogá-lo em cima do ombro e levá-lo daqui. Vamos levar a medalha da Guerra Civil. Deve pertencer ao pai de Martin, e podemos entregá-la à sra. Johannsen para provar que encontramos seu filho. Depois alguém pode vir buscar os... restos.

Early removeu com cuidado a medalha do paletó de Martin. Ele olhou para mim como se me analisasse, depois tomou uma decisão.

— Você é quem deve usá-la, Jackie — falou ele, erguendo a medalha para prendê-la na minha roupa.

Dei um passo para trás e levantei a mão.

— Leve a medalha no seu bolso.

— Mas esta é uma medalha por bravura. Não é para ser colocada no bolso.

— Então você usa. — A medalha pertencia a outra pessoa. Usá-la seria como receber uma homenagem que eu não merecia. E não queria.

— Já tenho as plaquinhas de identificação de Fisher. Elas são importantes. Você também precisa de alguma coisa importante.

Antes que eu percebesse, Early havia pendurado a medalha no meu casaco, e foi isso.

— Muito bem. Agora vamos, antes de...
— Antes do quê?
— Não sei. — Eu me sentia desconfortável. — Antes que Martin levante e queira a medalha de volta. — Early e eu começamos a percorrer o caminho pelos túneis e pelas cavernas, em direção à cachoeira. Mas algo abria caminho entre as engrenagens que giravam na minha cabeça. Faltava alguma coisa.

— Qual é o problema? — perguntou Early. — Não está pensando que Martin vai mesmo querer a medalha de volta, não é?

Foi nesse momento que percebi a razão do meu desconforto. Não era por ter ficado perto de um corpo sem vida, ossos se projetando de pernas de calça e mangas de paletó. Não era por estarmos em uma série de cavernas que pareciam túmulos embaixo de uma forte queda d'água. Era estranho, mas nada disso me causava desconforto.

— Não, não acho que ele vai querer a medalha. Mas acho que ele provavelmente gostaria de ter sua arma de volta. O rifle Winchester 1894 cano curto novo em folha. E sei quem está com ele. O catálogo anunciava que o preço era dezessete dólares e cinquenta centavos, mais cinquenta centavos pela gravação. O recibo no bolso de Martin prova que ele pagou dezoito dólares, o que significa que mandou gravar suas iniciais na arma. E as iniciais devem ter sido gravadas no cabo de madeira, onde alguém poderia traçar o desenho com os dedos. Lembro-me de alguém passando o dedo no cabo de um rifle. Alguém com quem tivemos um encontro desagradável na hospedaria Bear Knuckle. Eu não estava prestando muita atenção a isso naquele momento, mas lembro que vi letras gravadas no cano da arma dessa pessoa.

Nesse momento, ouvi o ruído familiar de um rifle sendo engatilhado, e ele ecoou pela caverna onde nos encontrávamos. Eu estava de frente para a cachoeira, com a água respingando em meu rosto e na medalha de Martin, e fiquei lá até Early puxar minha manga.

— Jackie, o pirata MacScott está aqui.

— Eu sei — respondi, virando e me deparando com o cano de um rifle. — Essa arma não é sua — falei. — As iniciais dele estão gravadas no cabo. M.J. Martin Johannsen.

MacScott falou, e sua voz era pouco mais que um sussurro.

— Então acha que sabe de tudo, não é?

— Sei o bastante para ter certeza de que está segurando o rifle de Martin Johannsen. Você deve ser o garoto que a sra. Johannsen disse que havia passado por lá para mostrar a arma nova. Ela o viu com o rifle no dia em que Martin desapareceu. E disse que o nome do garoto era Archibald. — MacScott se encolheu um pouco ao ouvir seu primeiro nome pronunciado com tanta liberdade. — O que ainda não sei é por que você atirou nele.

O rosto de Archibald MacScott ficou vermelho, e ele parecia ter sido atingido pela palmatória de um professor de escola.

— Ele fez pouco de mim — MacScott falou em voz baixa.

— Ele fez o quê? — perguntei.

— *Fez pouco* —respondeu Early. — Significa "tratar alguém como se não fosse importante".

— Ele estava caçando quatis com o rifle novo — continuou MacScott. — Todo vaidoso e contente. Eu chego e só quero ver a arma. Senti-la nas minhas mãos. Sim, eu também tinha uma. Comprei uma espingarda usada de um caixeiro-viajante. — MacScott passou a mão pela madeira lisa e brilhante do cabo do rifle de Martin, que ainda estava apontado para Early e eu. — Mas a de Martin era melhor. Eu tento fazer uma aposta. Minha arma pela dele. Um pouco de tiro ao alvo. Ele disse que tinha um papel com um alvo desenhado. A Companhia Winchester o mandou com a nova arma. Então, fomos prender o alvo em uma grande figueira e nos preparamos. Ele atirou, depois foi minha vez. Ele acertou na mosca, eu só acertei o tronco da árvore fora do alvo.

MacScott respirou fundo, totalmente envolvido pela história que contava.

— "Tudo bem", ele me diz. "Você fica com sua arma, e eu me contento com o direito de me gabar por aí." Daí ele arranca o alvo da árvore e diz que tem que ir para casa, que a mãe está esperando ele para jantar. Simples assim, e vai embora. Como se minha arma nem valesse a pena. E eu já podia ouvir Martin contando para todo mundo que Archibald MacScott mal conseguia acertar o tronco de uma figueira de cem anos de idade. Devia estar mostrando o alvo com o tiro na mosca para quem quisesse ver.

MacScott levantou a Winchester até a altura do olho.

— Então peguei minha arma de novo. Ia só dar um tiro rente, para passar raspando. Atirei uma vez. "Volte aqui e pegue minha arma", falei. "Nunca disse que você tinha o direito de se gabar. Não pode mudar o que apostamos."

MacScott ofegava, e sua voz ficou mais grave.

— Ele não respondeu. "Qual é o problema?", gritei. "Só porque tem uma Winchester novinha em folha, minha arma não serve para você?" Andei na direção dele e achei primeiro o alvo. Ele o havia amassado e jogado de lado, como se tudo fosse só uma brincadeira. Andei um pouco mais. E o encontrei caído e imóvel. O tiro da minha arma tinha atravessado o corpo dele.

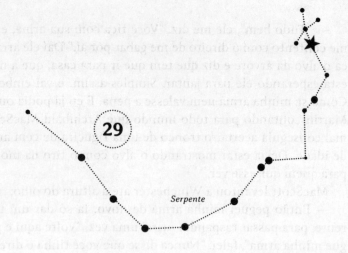

Serpente

— Foi um acidente — repetiu Early, e dessa vez percebi que ele tinha razão. *Havia sido* um acidente. Mas como ele sabia?
— Por que você o colocou na caverna? — Early perguntou. — A mãe dele o espera em casa. Ela fez o jantar.

MacScott baixou um pouco a arma, cujo peso começava a incomodá-lo.

— Eu trouxe o corpo para a caverna para impedir que animais o encontrassem enquanto eu ia avisar a sra. Johannsen. Ela foi minha professora na oitava série e sempre foi boa para mim. Mas quando me aproximei da casa, ela chamava o filho e vasculhava a floresta atrás dele. Esperava que ele chegasse a qualquer minuto, e perdi toda a coragem. Fui embora e nunca mais voltei.

— Você ainda pode contar a ela — Early comentou daquele jeito que sempre tornava tudo muito simples. — Ainda pode consertar as coisas.

A Winchester baixou um pouco mais. Olhei para Early, espantado. Ele realmente conseguiria convencer MacScott a falar com a velha?

— Sua sugestão é admirável — respondeu ele, e a arma parecia balançar enquanto ele refletia. MacScott pensou por um momento, talvez considerando a possibilidade, mas tomou sua decisão... de novo. Ele tirou um resto de cigarro do bolso do casaco. Ainda segurando o rifle com uma das mãos, usou a outra para riscar o fósforo contra a perna da calça e acendeu a bituca com um movimento rápido. — Não, já passou muito tempo. Não dá mais para voltar atrás. A sra. Johannsen é uma mulher velha, ela vai ficar melhor esperando o filho voltar para casa do que sabendo que ele está morto. E eu vou passar o resto dos meus dias caçando cada urso, quati e veado daqui até o Canadá, começando pelo Grande Urso Apalache que vocês dois estão procurando. Ele vai render uma boa recompensa.

Então era isso que ele estava fazendo esse tempo todo. Compensando um tiro errado em um alvo preso ao tronco de uma figueira com uma coleção de troféus e todas as recompensas de caça no Maine. Tentando provar a todo mundo que era capaz de acertar no alvo. Mas, encarando o rosto atormentado e o olho que MacScott não tinha, eu podia dizer que não era só isso. Não era só aquele tiro errado que ele carregava há cinquenta e tantos anos. Era o tiro que ele havia acertado *sem querer* que o devorava de dentro para fora.

O homem fumou o que restava do cigarro, deixou-o cair no chão e o esmagou com a ponta da bota.

— Ei — Early falou com os olhos muito abertos. — Você mentiu. Disse que nunca havia voltado à casa da sra. Johannsen, mas também esteve lá.

Esperei MacScott negar a acusação e imaginei como seria a troca de argumentos entre eles.

Entretanto, ele não disse nada. Só passou o peso do corpo de uma perna para a outra.

— É você quem tem cortado lenha para a sra. Johannsen. Quando fui buscar a pá, a madeira estava empilhada embaixo do toldo do abrigo, e havia bitucas de cigarro por todos os lados. Eram Lucky Strikes, como os que o sr. Wallace, o zelador da escola, fuma. Mas os seus são todos queimados até o fim e esmagados, como aquele ali.

Olhei para MacScott ainda esperando por uma resposta. Ele continuava em silêncio.

— Você sabe, então — disse Early.

MacScott recusou-se a responder.

— Sabe do quê? — perguntei, incapaz de continuar como espectador desse espetáculo bizarro. Uma pessoa estava armada, mas a outra usava palavras que, aparentemente, atingiam o alvo. Eu tinha visto tudo que Early mencionara na casa da sra. Johannsen. A lenha cortada e as bitucas de cigarro. Para mim, nada disso tinha significado. O garoto podia estar certo? MacScott havia cuidado da sra. Johannsen, cortado lenha para ela? Talvez até levado comida, uma caixa de chá, um frango de vez em quando, um pote de geleia de mirtilo? — Sabe do quê? — perguntei novamente.

— Ele viu a sra. Johannsen — respondeu Early. — Sabe que ela está pronta para partir. Mas que não pode. Não enquanto Martin não voltar para casa.

— Ah, bom — MacScott falou com um tom um pouco mais grave que antes —, esse tem sido o problema desde o começo, não é? O filho dela não vai voltar para casa. — E cutucou com a ponta da bota a bituca de cigarro no chão. — Isso aconteceu há muito tempo, e não tem mais nada que possa ser feito para consertar.

Talvez fosse o jeito intenso e cheio de pesar com que MacScott olhava para Martin Johannsen nesse momento, mas eu tive uma ideia. Abaixei e puxei uma ponta do casaco de Early. Depois, procurei e encontrei no outro bolso de Martin um papelzinho amassado.

Early o reconheceu antes de mim.

— Ei, é o alvo. — Ele o desamassou e mostrou a MacScott. Pensei que o gesto era como sacudir um tecido vermelho diante de um touro. — Só tem um buraco, você tem razão. Errou completamente o tiro.

MacScott começou a deslizar o dedo sobre o gatilho da Winchester.

— O que ele quer dizer é... — comecei, tentando pensar em alguma coisa que Early podia ter tentado dizer, qualquer coisa que não fosse "Você atira mal, e aqui está o alvo que prova isso". Tínhamos que sair daquela caverna se não quiséssemos acabar como mais duas pilhas de ossos ali, e Early apontando o miserável fracasso de MacScott com aquele alvo não ia nos ajudar. — O que Early está querendo dizer é... — Tentava encontrar palavras.

Era evidente que MacScott revia toda a história como se ela estivesse acontecendo outra vez. Quantas vezes ele reviveu aquele dia mentalmente? Quantas vezes desejou ter outra chance com aquele alvo? Bom, era uma ideia.

Endireitei as costas.

— O que Early está sugerindo é que o alvo é muito pequeno. Talvez conseguisse acertá-lo, se tivesse outra chance. Bem, provavelmente não acertaria na mosca, mas acertaria o papel, pelo menos.

O olho do pirata se transformou em uma fresta.

— O que está falando? Sou capaz de acertar o centro daquele alvo cinco vezes seguidas, se eu quiser.

— Aqui dentro, é claro. A caverna é pequena.

MacScott riu.

— Você acha que sou um idiota, não é? Não quer que eu mate vocês aqui dentro. Quer que eu leve vocês lá para fora para provar que consigo acertar o alvo, e assim terão mais chance de fugir. É isso?

Não respondi.

— Isso é verdade, Jackie? — perguntou Early.

— Mais ou menos — resmunguei.

— É uma boa ideia. Gosto dessa ideia. E você, sr. MacScott, gosta dessa ideia?

— Um desafio — resmungou o pirata. — Tiro ao alvo e caçada de uma vez só. — Aquilo parecia animá-lo. — Tudo bem. Vamos sair e respirar um pouco de ar fresco. Posso atirar quatro vezes no alvo, e ainda sobram duas balas.

MacScott andava atrás de nós, apontando a arma para nossas costas, quando passamos por baixo da cachoeira. Quase perdi o equilíbrio nas pedras escorregadias, mas Early e eu chegamos à margem apenas um pouco úmidos.

— Tem uma boa figueira a uns quarenta passos daqui. Vão para lá, prendam o alvo e, depois, podem tentar fugir.

Early e eu nos dirigimos para a árvore. Assim que nos afastamos o suficiente para ele não nos ouvir, Early fez a pior pergunta que poderia ter feito.

— Em que direção devemos seguir?

Nossa sobrevivência dependia da resposta para essa pergunta. E a resposta óbvia era: na direção oposta à de MacScott e aquela arma.

Early alisou o papel com o alvo e o prendeu ao tronco da árvore com meu canivete. Depois olhou para mim, cheio de expectativa.

Olhei ao redor em pânico. O primeiro tiro foi disparado, e a bala acertou o centro do alvo, entre Early e eu.

— Vamos por ali! — gritei, e nós dois corremos na direção oposta à de MacScott. Partimos quando o dia começava a escurecer e o homem dava seu segundo tiro.

Não tinha caminho certo ou errado. Só tentamos fugir depressa. Mas não dava para ficar correndo em círculos como uma galinha cuja cabeça foi cortada. Já vi uma galinha com a cabeça cortada, e ela não foi muito longe. Em poucos segundos ouvimos mais dois tiros, um depois do outro. O som ecoou na mata, mas Early e eu havíamos traçado o curso e nos mantivemos nele, fazendo curvas para lá e para cá, seguindo em direção ao que pensávamos ser o norte.

Teria sido um bom percurso. Uma espécie de grande corrida com obstáculos que consistia de pular brejos cheios de folhas molhadas e podres, desviar de galhos baixos, rastejar sob troncos caídos e escalar uma encosta rochosa traiçoeira. Mas essa última parte foi um problema.

Estávamos correndo muito, nossa respiração arfante parecia ecoar em torno de nós, e percebi que tínhamos começado a subir uma inclinação rochosa e íngreme. Ao mesmo tempo, ouvimos um barulho alto atrás de nós, não muito distante. Tínhamos a vantagem da juventude e, com ela, a velocidade, mas MacScott possuía a maior de todas as vantagens: experiência na floresta. Foi então que entendi que ele nos mandou para a figueira por um motivo. Conhecia aquela floresta melhor que ninguém e sabia como nos induzir a cair em uma armadilha. Agora era tarde demais.

— Vamos ter que subir. — Eu sabia que não seria problema para Early. Ele já havia demonstrado que era bom nisso na casa de Gunnar. E, de fato, ele chegou ao topo da encosta antes de eu estar na metade da subida. Coloquei meus pés com cuidado aqui e ali, tentando não escorregar na terra e nas pedras que rolavam ladeira abaixo. Eu me agarrava a qualquer raiz, galho ou apoio que encontrasse.

Ofegante e suado, estendi a mão para uma raiz de árvore aparentemente forte que brotava da parede rochosa. *Se eu conseguir me segurar nela e puxar o corpo para terminar a subida...* Cheguei ao espaço aberto embaixo da raiz exposta e vi um arbusto molhado se mexer. Antes que eu pudesse reagir, uma cobra mordeu minha mão e eu caí, rolei e rolei até chegar com um baque ao pé da encosta, onde fiquei deitado de costas.

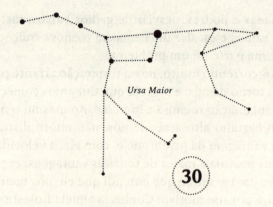

Ursa Maior

30

Rápido como um raio, Early apareceu ao meu lado.
— Jackie, você está bem? Pensei que íamos subir. — Ele devia ter descido tão depressa quanto eu havia caído.
— O plano era esse — gemi, olhando as marcas na minha mão. — Você acha que fui intoxicado pela cobra?
— Não, não foi.
Respirei aliviado... até ele continuar.
— Intoxicação acontece por substâncias que são ingeridas ou inaladas. Portanto, não existe cobra tóxica. Mas existe cobra *venenosa*. A cascavel é uma delas. O veneno entra no corpo com a mordida da cobra, e pode matar. Ou só destrói o músculo e o tecido do seu braço, e daí é preciso amputá-lo.
Meu coração batia depressa, provavelmente espalhando veneno de cobra pelo corpo todo. Tentei me acalmar. Early já aplicava um pouco daquela pomada com cheiro de lavanda.
— Shh, escuta — falei.
— Não estou ouvindo nada — respondeu Early.
— Exatamente, vamos sair daqui, então. MacScott pode estar dando a volta para nos surpreender no alto da colina. Agora podemos voltar pelo mesmo caminho e torcer...

Meu desejo de fugir foi interrompido bruscamente pela chegada de MacScott, que impedia nossa fuga. Tentei recuar me arrastando pela terra, mas só consegui me afastar um pouco da encosta. Não tinha para onde ir. MacScott havia nos encurralado, e sabia disso. Ele se aproximava lentamente.

— Acertei na mosca quatro vezes e ainda tenho duas balas.
— Ele engatilhou a arma. Mas, de repente, sua expressão mudou. O queixo caiu, e o cano do rifle baixou alguns centímetros. Early e eu viramos para olhar o que ele tinha visto. Era o urso.

Negro como a noite e grogue de sono, ele saía de um nicho na parede de pedra atrás de nós. Seu corpo enorme balançava e estremecia como se estivesse sacudindo o sono para fora do corpo. Nunca tínhamos visto o animal, só suas pegadas e fezes. Mas agora estávamos frente a frente. Não havia dúvida de que aquele era o Grande Urso Apalache. O olho esquerdo era deformado onde MacScott disse ter enfiado uma bala. "Quites", como ele havia falado. Não havia para onde correr, nem que tivéssemos força para isso. Minha mão gritava de dor, e o capitão MacScott não parecia inclinado a nos deixar ir embora em paz.

Mas ele corria tanto perigo quanto nós. E aquele era o urso que ele procurava há tanto tempo. Então, por que estava ali parado?

Seu rosto se contorceu numa expressão de sofrimento. Ele encarava a criatura com o único olho. E o animal com o olho deformado parecia ter a mesma expressão sofrida enquanto o encarava de volta com os pelos arrepiados. Pensei se cada fera via na outra alguma coisa familiar.

Jamais saberíamos, porque MacScott levantou a arma, apontando para mim ou para Early — não sei ao certo — e atirou. Um segundo depois, eu ainda sentia a dor rasgando meu braço, mas não por causa do tiro. Ele havia acertado Early?

Eu estava paralisado de medo.

A grande ursa negra, impressionante como a Ursa Maior, balançou a cabeça de um lado para o outro, e seu rugido fez tremer a passagem próxima da Trilha Apalache. Eu digo que é ela, mas a verdade é que não dava para ter certeza. Não havia marcas que indicavam que era fêmea. Não havia filhotes à vista. Mas eu sabia. Eu a conhecia como conhecia minha própria mãe. Era sua postura — a autoridade absoluta sobre nós, dois garotos presos por seu olhar. E era sua vontade inabalável de nos manter vivos.

Ela ficou em pé, esticou o corpo até alcançar sua altura máxima. MacScott atirou de novo e acertou a terra bem na frente das enormes patas da ursa. Ele devia estar perturbado, porque errou. Engatilhou a arma mais uma vez, mirou com cuidado e apertou o gatilho. Só um estalo fraco. Sem balas. E de repente ela estava em cima dele. Eu teria olhado para o outro lado, mas não podia. Era uma imagem impressionante, como uma violenta tempestade de raios que exige ser testemunhada. Fascinante e aterrorizante ao mesmo tempo. Então acabou, e a ursa foi embora. Tudo ficou quieto.

Quieto até demais.

Minha cabeça girava, e o suor entrava em meus olhos. Desviei a atenção do corpo destroçado de MacScott. A arma de Martin Johannsen descansava em suas mãos abertas como se ele ofertasse um presente.

E Early estava caído no chão.

Os minutos seguintes foram como uma espécie de sonho, confusos e malucos. Eu me aproximei dele. Estava ferido? Procurei sangue. Não encontrei nada. E ele estava respirando. Mas seus olhos estavam revirados e o corpo sofria espasmos. Ele estava tendo um ataque, o pior que eu já tinha visto. Tentei levantar sua cabeça. Talvez ele precisasse de água. Corri para ver se tinha um cantil na mochila de MacScott.

— Não, Early... — falei, mais para mim do que para ele.

Ainda tentava abrir a mochila quando ouvi um ruído no meio das árvores e uma silhueta sombria saiu de lá. Pensei que fosse a ursa voltando, mas era um homem. Um homem desgrenhado e cabeludo, um morador da floresta.

Ele se aproximou, ajoelhou, levantou a cabeça de Early e a aninhou em seu peito. Eu sabia que não estava vendo as coisas de forma clara. Sentia o calor da febre emanando da pele e meu corpo estremecia com fortes arrepios, então, não sabia se aquilo era um sonho ou uma alucinação provocada pelo veneno. O homem virou Early de lado. Depois de mais alguns segundos, os espasmos cessaram. O corpo do garoto relaxou, e ele abriu os olhos. Depois estendeu a pequena mão branca e, tocando o rosto barbado do homem, disse só uma palavra:

— Fisher.

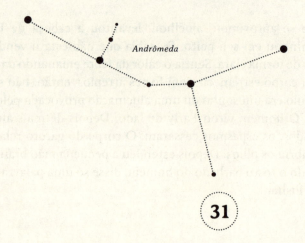
Andrômeda

31

Minha visão estava um pouco turva, e apertei os olhos tentando ver alguma semelhança com o rosto jovem da estante de troféus, o Número 67. Queria ver por que Early pensava que aquele era seu irmão. Mas tudo que enxerguei foram os traços abatidos e os olhos vazios do homem barbudo. Um lenhador que havia cortado sua última árvore e não tinha mais força para levantar o machado.

Early sorriu para mim, um sorriso distante.

— Viu, Jackie? Eu disse que o encontraríamos. Encontramos Fisher. — As palavras soavam como se saíssem de um longo túnel, e quando alcançavam meus ouvidos, seus lábios já diziam outra coisa. — Jackie, você não me parece muito bem. Eu sabia que ainda havia cascavéis nessa floresta. Eu sabia.

Depois disso, eu só tinha vagas lembranças dos eventos que seguiram, e eles não faziam muito sentido. Primeiro, o lenhador me pegou nos braços, mas se transformou em um grande urso que me carregou pela floresta. Eu sabia que minha mente febril produzia imagens malucas, mas o que era mais louco? Ser carregado por um grande urso-negro ou pelo soldado e lenda morta da Morton Hill, Fisher Auden?

Grandes nuvens de vapor envolviam meu rosto, o hálito do que ou quem estava me carregando. Ouvia Early falando em voz baixa enquanto andava ao nosso lado.

— Eu sabia que você estava vivo, Fisher. Disseram que você estava morto e que todos os números estavam desaparecendo, mas não acreditei neles. Você estava perdido, só isso. Mas não está mais, Fisher, porque encontrei você — continuou Early, e eu ouvia fragmentos de suas histórias de esqueletos, cavernas, cachoeiras e ursos.

Mais imagens de árvores, pedras e riachos, e depois eu estava em uma casa escondida na floresta. A casa de Eustasia Johannsen. Estava em uma cama coberta com uma colcha, mas sonhei com o urso e Early. Eles estavam sentados em um banco do lado de fora da minha janela. O urso era magro, como se estivesse saindo de um longo período de hibernação, morto de fome. Ele abaixou a cabeça peluda e derramou lágrimas pesadas. Seus ombros tremiam enquanto ele chorava, e os únicos sons que eu ouvia eram da respiração profunda, entrecortada.

Early passou um braço sobre os ombros trêmulos do urso.

— Você pode voltar — disse ele. — Como o Super-Homem, depois que a kriptonita quase o matou. E como Pi voltou, quando ficou de olho na estrela brilhante que tinha o nome dele.

Foi então que o urso falou. As palavras dele eram lentas e tinham um jeito de sonho, todas juntas como em uma canção em um disco tocado em velocidade reduzida. E elas fizeram Early chorar.

Então a sra. Johannsen estava no quarto comigo. Ela pôs um cataplasma quente na minha mão. Queimava, e minha mão parecia estar em fogo. Depois ela me trouxe chá. Estava muito quente. Ela fez ruídos reconfortantes e de censura maternal até eu beber tudo. Era amargo, mas não vomitei. Ela falou que eu era um bom menino e que havia sentido saudade de mim. Ela voltara a achar que eu era seu filho Martin.

— Eu estava na cachoeira. Procurando Early. — Minha mente flutuava e balançava como uma garrafa boiando no mar, mas a mensagem dentro dela não conseguia sair.

— Não se preocupe. Você só precisa se concentrar em melhorar. Sabe como fica quando não descansa o suficiente. Rabugento como um buldogue.

A voz dela era muito parecida com a da minha mãe. Pisquei, tentando manter abertos meus olhos pesados, focá-los no rosto sem nitidez.

Ela pôs uma compressa fria na minha testa, e vi seus olhos fitando os meus. A mão tocou meu rosto. Era tudo muito familiar. O olhar. O toque.

— Mãe?

Pisquei. Não podia ser ela. Era a febre me confundindo outra vez. Aquela era só a sra. Johannsen falando com o filho perdido há muito tempo. Mas não era. Talvez fosse o jeito como ela segurava minha mão. Talvez fosse seu cheiro de talco. Talvez fosse a voz dela, a voz de uma mãe.

O que era mais louco? A sra. Johannsen falando com o filho morto ou eu ouvindo a voz da minha própria mãe?

— *Mãe?* — Dizer a palavra era suficiente para não me sentir mais à deriva. O movimento de oscilação que eu sentia dentro de mim diminuiu. Eu conseguia me ver pisando sobre o Tronco do Dinossauro na corrida com obstáculos de Fisher, a correnteza passando por baixo de mim. — Eu me perdi.

— Eu sei, mas encontrou o caminho de volta. Encontrar o caminho não significa que você sempre sabe o que está fazendo. Saber encontrar o caminho de volta para casa é que é importante.

Arrisquei ir um pouco mais à frente.

— Depois fiquei furioso. Eu não devia ter saído daquele jeito. — Mais um passo.

— Tudo bem. Às vezes, os meninos precisam abrir um pouco as asas. Isso é difícil para as mães.

— Mas eu não estava lá. Eu tinha ido embora.

— Todos nós nos perdemos de vez em quando. Eu sabia que você voltaria. Não foi culpa sua.

Eu não havia percebido o quanto queria acreditar naquilo. Ouvir aquelas palavras de absolvição. Elas me inundavam com a força de uma grande cachoeira, me lavavam da cabeça aos pés e me levavam em uma correnteza tranquila.

— Senti saudades, mãe.

— Também senti. Mas, sabe, eu estive aqui o tempo todo. A um pulo de distância. — Ela sorriu, beijou minha testa, e seu cabelo tocou meu rosto. — Agora descanse. Você está tão cansado quanto o dia é longo. E tem sido um longo dia. Durma bem. Você não está mais perdido.

— Boa noite, mãe — sussurrei quando a porta se fechou, e eu soube que ela havia ido embora. E dormi um sono profundo e pesado.

Na manhã seguinte, minha mão ainda doía muito, mas o suor e os arrepios haviam desaparecido, e meu raciocínio era claro. Quando o dia clareou, eu soube que era a sra. Johannsen colocando a compressa sobre minha testa, sussurrando palavras de amor e perdão para o filho dela, Martin. Eu sabia que havia escolhido vê-la de um jeito diferente. No entanto, como as palavras dela significaram tanto para mim, se ela as dizia para o filho que pensava ter voltado? Era porque ela me deixava ouvi-las como se fossem ditas para mim. E acho que, de certa forma, eu havia deixado ela falar comigo como se eu fosse o filho dela. Ninguém enganava ninguém. Mas se um bálsamo analgésico é aplicado por alguém que não é médico, isso o torna menos analgésico?

Calcei os sapatos e fui para o principal cômodo da casa encontrar Early. Ele estava lá, sentado à mesa da cozinha. Eu sabia o que ele ia dizer, sabia com a mesma certeza que teria se eu mesmo estivesse falando. Early ia dizer que havia encontrado Fisher. Provavelmente, havia acomodado o homem da floresta em algum lugar, pronto para ser exibido tão orgulhosamente quanto a foto na estante de troféus da Morton Hill. Eu conseguia ver tudo isso.

Então, quando ele abriu a boca, fiquei perplexo com o que saiu dela.

— A sra. Johannsen morreu.

— O quê? — perguntei, apesar de tê-lo ouvido com perfeição.

Early não deu explicações. Foi quando percebi que ele estava separando as balas de goma. Aproximei-me da mesa. Eu já era próximo de Early há tempo suficiente para saber que separar as balas tinha diferentes significados. Se ele as separava em grupos de dez, significava que estava tentando organizar os pensamentos ou resolver um problema. Se fosse por cor, estava perturbado e tentava se acalmar.

Fiquei olhando enquanto ele usava o dedo indicador para empurrar cada bala para o lugar certo. Hoje as separava por cores — vermelho, amarelo, verde, azul, laranja — e as agrupava em colunas de dez. Estava chateado e tentava entender alguma coisa. Devia ter a ver com Fisher.

— Early — chamei, evitando mencionar o irmão dele ou o homem da floresta da noite passada —, o que aconteceu com a sra. Johannsen?

— Ontem à noite, depois que acomodou você na cama, ela parecia radiante como um farol. — Early estudou as colunas de balas de goma como se fossem feijões mágicos que continham os segredos da vida. — Não literalmente. É só uma expressão. Ninguém fica radiante como um farol. A maioria dos faróis usa lâmpadas de quinhentos watts, que são muito fortes. Ela parecia mais radiante como uma vela. Uma vela em uma janela, mas uma janela fechada, de forma que não tinha vento fazendo a chama tremer. Era um brilho estável, então.

— O que ela disse? — perguntei, mantendo a voz baixa e calma para combinar com a de Early. Porém, a voz dele também tinha uma nota de dor.

— Ela só me apertou contra o busto dela, que é como as senhoras chamam seu peito, e me agradeceu por ter trazido você. Depois soprou aquela lamparina que sempre deixava na janela e foi para a cama. Hoje de manhã, fui ao quarto perguntar se ela queria que eu fizesse café. E lá estava ela. Deitada, serena e imóvel. Foi como ela falou. O corpo havia feito o trabalho de viver e, depois, fez o trabalho de morrer.

— E o homem? — perguntei, hesitante. — Aquele que me carregou para cá ontem à noite?

— Foi embora — Early falou em voz baixa, olhando para as fileiras organizadas de balas de goma, todas separadas por cor. Tudo estava em ordem. Tudo devia fazer sentido. Mas, pela expressão no rosto dele, eu sabia que não fazia. Pelo que podia ser a primeira vez em sua vida, ele não conseguia chegar a uma conclusão. Uma lágrima correu por seu rosto, e, com um movimento rápido, ele jogou todas as balas de goma no chão numa explosão de cor e caos.

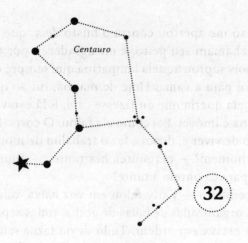

32

Eu me ajoelhei e recolhi as balas de goma. Queria poder colocá-las em alguma ordem que fizesse sentido. Mas não podia, por isso as joguei no pote, uma depois da outra, e girei a tampa de rosca.

Encontrei o garoto na escada da varanda, o rosto sujo manchado pelas lágrimas. Ele havia espalhado pelo local papéis e artigos de jornal que estavam em seu diário. Early devia ter percebido que o homem da floresta não era Fisher. Abri a boca para dizer o que já fora deduzido pelo garoto. Que seu irmão não ia voltar. Que havia partido, que se perdeu para sempre perto de uma ponte na França. Porém, em vez disso, fiquei quieto, porque eu não queria que fosse verdade. Além do mais, quem era eu para dizer alguma coisa a Early? Ele falou que podíamos construir um barco, e construímos. Disse que a morte de Martin Johannsen havia sido um acidente, e foi. Falou que havia cascavéis no Maine, e mesmo sem o inchaço e a vermelhidão no braço, eu sabia que era verdade. É claro, ele podia estar errado em relação a algumas coisas. Havia pensado que eu era o filho da sra. Johannsen. E disse que não havia cores no Kansas. E acreditou que podia confiar em mim antes da regata. *Havia* ocasiões em que Early errava.

Mas eu, entre todas as pessoas, entendia a necessidade de acreditar que um parente estava vivo, de pé na sua frente, amando você.

Early estava cercado pela sua coleção de artigos e anotações. Seu arsenal de motivos para Fisher ainda estar vivo. Ele encarava um recorte de jornal como se estivesse olhando através dele. Era a foto do caçador de ursos do quadro de cortiça que ele mantinha na escola — o caçador que eu agora reconhecia como Archibald MacScott quando ele ainda tinha os dois olhos. Em pé e orgulhoso ao lado de sua presa, estampando um largo sorriso no rosto, pensando que havia matado a Grande Ursa Apalache e que receberia a recompensa.

Ver aquela foto me fez pensar.

— Ele deve ter sido um bom caçador, um bom atirador, quero dizer. Como foi que errou a verdadeira Grande Ursa Apalache ontem estando tão perto dela?

— Ele não estava tentando acertar a ursa — disse Early.

— Isso é loucura. Não sei muito sobre caça, mas sei que, se você atira contra um urso daquele jeito sem ter a intenção de acertá-lo, vai ter que aguentar as consequências.

Early assentiu.

— O quê? — perguntei. — Você acha que MacScott queria que aquela ursa acabasse com ele? — Fazia sentido. O homem havia vivido muito tempo carregando a culpa e a vergonha do que tinha feito.

— Você não viu isso na cara dele? — indagou Early. — Ele estava pedindo para a ursa acabar com sua dor.

Olhei para a foto de alguns meses atrás.

— Queria saber quanto tempo demorou para ele perceber que havia matado o urso errado — comentei. — Acha que ele teve que ler a notícia no jornal?

— Não sei, mas Fisher soube na mesma hora.

— Como assim? O que Fisher tem a ver com isso?
— Observe os olhos dele. Fisher sabe que estão fazendo uma algazarra com o animal errado.
Vi a foto com mais atenção.
— Do que está falando, Early? Não tem ninguém na foto, só MacScott, o urso e aquele... lenhador barbudo. — falei, a voz enfraquecendo a cada palavra. Olhei para o rosto e, estranhamente, o reconheci. Não como o rosto na estante de troféus, mas como o rosto barbudo do homem que havia ajudado Early durante o ataque que ele teve hoje. — Você acha que esse é Fisher? Viu essa foto, pensou que seu irmão estava na floresta, e por isso começou essa busca maluca?
— É Fisher! — insistiu Early, visivelmente frustrado por estar repetindo a mesma coisa muitas e muitas vezes, e eu ainda não ter entendido. — Eu mostrei para você! Está bem aqui! — gritou, e pegou um pedaço de papel com anotações.
— E aqui, aqui e aqui! — Ele segurava um maço de artigos e páginas escritas, amassando as folhas na mão fechada. — Mas você não me escuta. — Depois ele se encolheu no casaco verde com capuz que devia ter pegado emprestado no armário de Martin, e que o deixava com a aparência de uma tartaruga em um casco gigante.
Eu não tinha mais palavras para argumentar. E elas não teriam ajudado, de qualquer maneira.
— Tudo bem — falei. — Então, você continua procurando seu irmão perdido. Mas, por enquanto, temos que enterrar a sra. Johannsen. — Peguei a pá que estava encostada na parede da varanda e fui terminar de cavar a sepultura. — E depois darei essa história por encerrada. Vou voltar para Morton Hill. Dormir em uma cama. E ficar seco. E bagunçar minha gaveta de meias. E ouvir Billie Holiday quando não estiver chovendo. Melhor ainda, não vou ouvir Billie Holiday. Vou ouvir...
Parei ao chegar à clareira onde esperava encontrar a cova aberta e vazia da sra. Johannsen. Em vez disso, onde devia haver um buraco no chão, havia um espaço preenchido pela

terra que tínhamos deixado de lado, e uma cruz feita com tábuas marcava o lugar.

Dei um passo à frente, meio me perguntando se a sra. Johannsen havia se enterrado sozinha.

Early parou atrás de mim.

— Você não pode ouvir Billie Holiday quando não está chovendo, e suas meias... Ei. — Ele encarou o túmulo. — Como ela foi enterrada tão depressa?

— Boa pergunta. — Eu me aproximei da cruz para ver o nome que havia sido entalhado na madeira.

MARTIN JOHANNSEN

Foi como se as balas de goma no pote de Early tivessem explodido e se espalhado por todos os lados. Aquilo não fazia o menor sentido. E no tronco de árvore ao lado da cova recém-fechada havia um casaco vermelho com estampa xadrez, dobrado e arrumado. Olhei para Early. Ele estava usando um casaco diferente, porque havia deixado o dele na caverna ao lado da cachoeira, cobrindo os ossos de Martin Johannsen. Por isso ele tinha tremido tanto à noite.

— Onde achou esse casaco? — perguntei.

— Não vou contar. Você não acredita em nada do que eu falo mesmo.

— A sra. Johannsen deve ter emprestado para você. O casaco é de Martin Johannsen.

— Não é.

— É, sim.

— Não é.

— Então, onde o pegou?

— Não vou contar.

Tinha alguma coisa familiar naquele casaco. O tecido verde-oliva resistente, muito funcional, muito durável. Muito militar. Puxei os braços de Early para ver a frente da roupa, onde devia ter um nome bordado. De início ele resistiu, depois soltou os braços. As letras maiúsculas eram perfeitamente alinhadas e claras. Cinco letras.

AUDEN

Lembrei-me do sonho da noite passada. De repente, ele parecia importante. Early e o urso conversavam. Sobre o que falavam?

O garoto havia passado um braço sobre os ombros caídos do urso. Ele dissera alguma coisa, e sua voz era baixa e triste. O que era mesmo? Me esforcei para lembrar. Era como tentar encontrar as palavras de uma canção, adivinhar onde colocar a agulha da vitrola no disco.

Devagar, revi o sonho na minha mente.

"Você pode voltar", dissera Early. "Como o Super-Homem depois que a kriptonita quase o matou. E como Pi voltou, quando ficou de olho na estrela brilhante que tinha o nome dele."

Lembrei-me do urso respondendo. Adiantei a agulha na minha cabeça.

O urso levantara o rosto triste e dissera: "Não sou um super-herói. E não olho mais para as estrelas".

A agulha deu um pulo para frente, e Early estava chorando. O urso levantou, tirou o casaco e o colocou sobre os ombros trêmulos de Early.

"Vá para casa", ele falara, e se afastou, deixando Early sozinho. E o sonho em minha cabeça passou para um espaço vazio, um chiado sem outras palavras e desprovido de imagens.

Percebi que não era um sonho. Era uma cena que eu havia testemunhado pela janela do quarto. Mas não era com um urso. Era com um homem. Um homem chamado Fisher Auden.

Naquele momento, foi como se todas as balas de goma caídas se arrumassem em fileiras coloridas perfeitas, exatamente como aquelas letras na jaqueta verde-oliva. O observador barbudo do recorte de jornal. O homem da floresta cobrindo os ombros magros de Early com sua jaqueta. O sonho que não era um sonho. Até as cascas de castanha que vi espalhadas no chão perto da cova recém-aberta. Fisher Auden estava vivo. E havia nos seguido, nos vigiado na floresta. E havia enterrado os ossos de Martin Johannsen.

E agora o silêncio. A dolorosa e absoluta quietude.

De novo, naquele momento de silêncio pesado, lembrei que Early não era só uma excentricidade da natureza que contava balas de goma e lia números como se fossem uma história. Eu sabia que ele podia ficar magoado e decepcionado, mas antes o garoto era bem rápido em suas respostas. Dessa vez, alguma coisa estava diferente. Durante essa longa jornada, Early sabia que o irmão estava vivo, porque, na cabeça dele, Fisher era um super-herói. E super-heróis nunca morrem. Mas as lágrimas agora corriam pelo rosto dele porque o irmão *havia* voltado. Só que não era mais o irmão de que Early se lembrava.

Eu havia me acostumado com Early no assento do navegador. Ele gritava os comandos, ajustava o curso, dirigia, guiava. Agora, estranhamente, os papéis se inverteram. Era eu quem havia percorrido essa estrada antes. Conhecia os desvios e as curvas, as pedras e os obstáculos. Sabia como era estar perdido. Porém, não sabia se seria capaz de nos tirar de lá.

Early despiu o casaco do irmão e vestiu o dele. Só consegui pensar em uma coisa para dizer.

— Como você sabia?

— Não vai acreditar em mim.

— Vou, sim.

— Não vai.

Segurei Early pelos ombros.

— Estou ouvindo. Fale.

Early deixou a mochila no chão coberto de folhas e pegou as páginas amassadas com as anotações.

— Os explosivos tinham um detonador. O tanque alemão acertou o abrigo onde os homens de Fisher se escondiam. Depois o tanque foi destruído na ponte. Isso significa que alguém tinha que estar vivo para acionar o detonador. Fisher devia estar na água colocando os explosivos quando o tanque alemão disparou contra o abrigo. Fisher ainda estava vivo. Ele acionou o detonador. Foi um herói.

— Mas as plaquinhas de identificação... As dele foram encontradas entre os mortos.

— Ele deve ter deixado as plaquinhas com outro soldado. Tirou a camisa para entrar na água, e não queria que o metal delas refletisse a luz da lua.

Era assim que as coisas funcionavam com Early. Ele podia ter a mesma informação que todo mundo tinha, mas, para ele, o significado era diferente. Ele via o que ninguém mais percebia.

— Entendi. — E foi tudo que pude dizer. Eu realmente entendia. Mais do que gostaria.

Sim, Fisher estava vivo. No entanto, havia sido ferido. Provavelmente, havia sofrido o ferimento externo na França primeiro, mas agora, ainda mais que antes, estava ferido por dentro. Eu não sabia o que acontecera com Fisher entre a França e as florestas do Maine, mas o irmão, o herói que Early conhecia e idolatrava, havia desaparecido. Eu sabia como era isso. Pobre Early. Só agora compreendia que super-heróis não existiam. Contudo, para falar a verdade, nós dois deveríamos ter sabido disso. O Super-Homem não tem um filho. O Capitão América não tem um irmão.

— Ele estava sentado ao meu lado — disse Early —, mas era como se não estivesse ali *de verdade*. Falei para ele voltar comigo. Disse que ia ficar tudo bem. Mas estava chovendo dentro dele e não havia Billie Holiday. Não tinha música nenhuma. Ele disse para eu ir para casa. E foi embora.

Procurei as palavras certas para dizer, mas elas não apareciam. Então, peguei o casaco de Fisher, dobrei-o com o cuidado e a precisão de quem dobra uma bandeira, e o coloquei na minha mochila.

Early enxugou os olhos e disse:

— Vamos enterrar a sra. Johannsen e voltar para casa.

Pela segunda vez naquela semana, peguei uma pá e comecei a cavar uma sepultura.

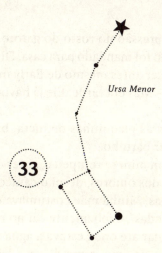

Ursa Menor

33

A sra. Johannsen descansou ao lado do filho. Nós a cobrimos com a colcha de retalhos da cama de Martin e prendemos a medalha da Guerra Civil em um quadrado amarelo bem vivo. Era a parte mais ensolarada da colcha, e decidimos que ela havia vivido com tanta tristeza na vida que faria bom uso de um pouco de alegria.

Mas alegria era algo que com certeza estava em falta enquanto Early e eu andávamos, quilômetro após quilômetro, pelas florestas do Maine. Nossos passos eram pesados e difíceis. Levei um minuto para calcular que dia era. Sexta-feira. Havíamos saído da escola seis dias atrás, e passamos esse tempo com pouca comida e ainda menos tempo para dormir.

Chegamos à ponte coberta que havíamos atravessado dias atrás, mas, dessa vez, nossos passos eram mais lentos, e não gritamos para ouvir o eco das vozes. Na metade da ponte, Early apoiou os braços na grade e olhou para o rio. Ele enfiou a mão no bolso do casaco e pegou as plaquinhas de identificação de Fisher.

Reconheci a expressão no rosto do garoto. Ele não só perdeu seu herói, como foi mandado para casa. Dispensado. E soube o que ia acontecer antes mesmo de Early mover o braço.

— Early, não! — Mas era tarde. Ele já havia arremessado as plaquinhas no ar.

A corrente com as plaquinhas de metal brilhante caiu no rio quase sem fazer barulho.

Alguma coisa em mim se rompeu e, antes que eu percebesse, tirei a mochila dos ombros, despi o casaco e mergulhei no rio de águas rápidas. Minha mãe costumava dizer que "águas paradas são profundas", e felizmente caí no rio com força suficiente para afundar até onde estava a água mais calma.

O sol penetrava na água e me deixava ver peixes, pedras e galhos. Bati os pés, movi os braços e continuei descendo. Procurando. Torcendo. Então eu vi. Uma coisinha brilhante. Alguma coisa balançando na água, capturando a luz do sol e cintilando como uma estrela submersa. Não sei se nadei até lá ou se a correnteza me levava na mesma direção em que levava as plaquinhas, mas estendi o braço, me estiquei todo para pegar a corrente que estava enroscada em um galho. Por que Early jogou fora a corrente de Fisher? Ele havia dito que o irmão estava vazio. Que chovia dentro dele. Não conseguia ver que Fisher estava ferido? Eu sabia que Early se sentia desprezado e abandonado. Mas ele não percebia que as cicatrizes do irmão não haviam fechado? Por que Early não se controlou?

As plaquinhas de metal balançavam na água, refletiam a luz de um jeito diferente. Quando meus pulmões começaram a arder, notei que eu já estivera em uma situação parecida antes. Embaixo d'água, procurando alguma coisa pequena e brilhante que estava fora do meu alcance. Meu anel de navegador. Estiquei a mão para as plaquinhas exatamente como havia estendido para o anel que pensava ter visto na piscina naquela primeira semana na Morton Hill. Como fiz quando o vi nas estrelas naquela noite com Gunnar. Queria pegá-lo de volta. Queria poder ter *tudo* de volta.

Lembrei-me do dia do funeral de minha mãe. Chovia, e meu pai havia ficado parado ao lado da sepultura, embaixo da tempestade. Será que chovia ainda mais forte dentro dele?

Poucas semanas depois do funeral, meu pai e eu estávamos sentados em silêncio à mesa do café da manhã. A casa estava uma bagunça. Minha mãe sempre havia sido muito cuidadosa com a arrumação. Ela não era exagerada, mas mantinha em dia a limpeza, a costura, os consertos, a arrumação e a beleza de tudo.

De vez em quando, ela me pedia ajuda para enxugar a louça ou limpar o sótão. Ela dizia: "Se todo mundo colaborar, pode demorar o dobro do tempo, mas vai ser bem mais divertido".

Agora nada mais daquilo era feito por ali. Meu pai olhava em volta como se tentasse descobrir qual era seu papel naquele lugar estranho. Ele se levantou da mesa e declarou que era hora de começarmos a trabalhar para deixar tudo em ordem.

Ele começou na cozinha, com um balde de água e sabão e vários panos e esponjas, esfregando cada centímetro de azulejo, armário e fogão de cima a baixo. Enquanto limpava balcões, prateleiras e gavetas, ia jogando fora calendários que minha mãe havia guardado por gostar das fotos de rios, montanhas e florestas. Guardou em caixas os pegadores de panela de crochê, os aventais de estampa floral e os panos de prato especiais bordados com os dias da semana, que minha mãe usava só como enfeite. Depois continuou no restante da casa com uma vassoura e um pano, recolhendo almofadas, toalhinhas, toalhas de mesa. Qualquer coisa que não fosse funcional ou prática, qualquer coisa que dificultasse a remoção de pó, a movimentação dos panos ou da vassoura, tudo era encaixotado, descartado ou, basicamente, jogado fora.

Fiquei fora do caminho, participando apenas quando ele me dava tarefas específicas. "Jogue esse lixo lá fora. Leve essa caixa para o sótão. Jogue a água suja e traga água limpa." E fiquei observando ele remover toda a suavidade da nossa casa. O calor, o afeto, as lembranças. Até restar apenas o que era frio e duro. E limpo. Muito limpo. Tentei parecer ocupado, com medo de passar algum tempo parado e ser jogado fora também. Mas só explodi quando ele apontou uma caixa com objetos variados que pretendia doar para o Exército da Salvação.

A caixa tinha parafusos, dobradiças de porta, tampas de potes domésticos e um ioiô. Outra diferença entre minha mãe e meu pai. Minha mãe guardava tudo. Meu pai, aparentemente, mantinha o mínimo necessário. Porém, além das chaves, das dobradiças, das tampas e do ioiô, vi uma xícara de chá. Não era parte de um jogo. Não era nem muito bonita. Só uma xícara lascada com florezinhas vermelhas. Era da minha mãe e ficava pendurada no escorredor bem ao lado da pia da cozinha. Ela usava a xícara todos os dias. Café de manhã, chá da tarde, e uma mistura especial de cidra quente, mel e um pouco do que ela chamava de "a coisa para tudo que incomoda" quando sentia um resfriado chegando.

— Não precisamos doar tudo isso — falei com a voz trêmula.

— Um lugar para cada coisa e cada coisa no seu lugar — respondeu meu pai, sem desviar os olhos do que estava fazendo.

— Então, leve você mesmo. Eu não vou fazer isso.

Dessa vez ele parou e endireitou as costas.

— Você vai fazer o que eu mandei. Agora, mexa-se.

Eu estava andando sobre gelo fino, mas dei mais um passo.

— Você não pode simplesmente se livrar de tudo. — O gelo rangeu embaixo dos meus pés.

— Filho — falou ele como se estivesse me dando um aviso, as mãos na cintura.

Certa vez, vi em um filme um sargento lidando com um recruta que não cumpria ordens. O sargento no filme se aproximou do rosto do recruta e gritou: "ESTÁ ME ENTENDENDO, FILHO? SE NÃO ENTENDE, VOU FALAR EM UMA LÍNGUA QUE VOCÊ VAI ENTENDER!". Eu não sabia que língua era aquela, mas tinha a sensação de que estava prestes a descobrir.

E não me importava.

Desobedecendo ao meu pai, peguei a xícara.

— Você pode querer se esquecer dela, mas eu não quero!
— Foi então que aconteceu. A dor e a revolta abriram caminho até meus dedos trêmulos, e a xícara caiu e se quebrou no chão da cozinha.

O capitão ergueu os ombros e gritou mais uma ordem:
— Você está dispensado!

Dispensado. Eu era um civil, não falava o idioma dos soldados. Mas entendi perfeitamente a mensagem. A fenda no gelo se abriu, e meu pai e eu ficamos em lados diferentes da rachadura.

E foi então que saí e joguei meu anel de navegador no rio atrás da nossa casa.

Meus pulmões estavam explodindo, e a correnteza ameaçava me levar. Puxei as plaquinhas de metal do galho e bati os pés para voltar à superfície, onde cheguei arfando e ofegando. Early me esperava na margem.

— Por que mergulhou, Jackie?
— Porque — resmunguei, entregando a corrente a ele — senti vontade de nadar.
— As placas de Fisher!
— É, acabei de encontrá-las por acaso no rio... onde você as jogou. Devia ficar com elas. São de Fisher. E ele ainda é seu irmão. Vamos. Tenho que achar um lugar onde possa me secar, antes que acabe congelando aqui. — Eu tinha visto de cima da ponte uma cabana perto da margem do rio, e fomos naquela direção.

Cinquenta anos atrás, aquela podia ter sido uma velha cabana de caça, mas agora era só um barraco em ruínas com algumas varas de pescar quebradas, um bote de pedal em um canto e outro barco virado de cabeça para baixo e coberto por uma lona. Porém, havia muita luz entrando pela janela, e um fogão de ferro à lenha no meio do aposento.

Procuramos pedaços de madeira por ali e, em pouco tempo, acendemos o fogo. Felizmente, meu casaco e minha mochila haviam sido poupadas de mais um mergulho no rio, e tirei a calça e a camisa e as deixei secando perto do fogo. Molhado de novo. Era como se eu tivesse passado os últimos seis dias molhado.

Early e eu nos sentamos no barco virado e comemos o que restava da carne enlatada e dos biscoitos que trouxemos da casa da sra. Johannsen.

Early estudou a corrente de Fisher, deixando-as balançar à luz do fogo.

— Ele não quer saber de mim. Falei para ele voltar para casa, mas foi como se ele não me entendesse. Como aquela parte na jornada de Pi em que ele chega à ilha e as pessoas estão falando outra língua.

Meu coração doía por Early. Ele havia percorrido toda aquela distância, acreditando que o impossível podia ser verdade. E realmente era. Mas, ainda assim, voltava para casa sem o irmão.

Peguei as plaquinhas e as estudei. Não conseguia ler os números como Early fazia, mas aquelas letras em relevo, FISHER AUDEN e BETHEL, MAINE, contavam uma história que até eu podia entender.

— Ele quer ficar com você. Só está machucado e triste. Pense nisso, Early. Você está sempre comparando a jornada do seu irmão com a de Pi. Lembra como Pi saiu para uma grande aventura, mas acabou perdendo a família inteira? Bom, os homens que estavam com Fisher naquela ponte na França eram como uma família para ele. E ele os perdeu. E sabe como Pi levou seu fardo para as catacumbas? Fisher carrega o dele por não ter sido capaz de salvar aquelas vidas. Está lamentando a perda de pessoas que amava e da vida que conhecia. — Meus olhos ardiam um pouco. Aquelas plaquinhas podiam ter sido gravadas com JACK BAKER, COSTUMAVA VIVER NO KANSAS. — Fisher perdeu tudo. Não se sente em casa em lugar algum.

Eu sofria, sentia minha própria perda. E a de Fisher. E a de Early. Tentei encontrar um jeito de ajudar o garoto a entender por que seu irmão não quis voltar.

— Talvez ele só precise de mais tempo no ruído branco para pensar nas coisas. Tentar se encontrar. — Balancei a cabeça com a tentativa patética. — Ele lhe lembra alguém?
— Seu pai.
— O quê? — Virei a cabeça tão depressa que podia ter dado um mau jeito no pescoço. — Não, Fisher não é como meu pai.
— É, sim.
— Não, não é.
— É, sim.
— Não, não é! — gritei. — Early, você nem conhece meu pai.
— Conheço, sim. Você me falou sobre ele. Lembra quando contou sobre o carrinho de caixa de sabão e como ele estragou na chuva, e depois foi consertado? Quando começamos a construir o barco, você nem sabia cortar em ângulo ou colar uma junção. Disse que era tão tarde quando foi arrumar o carrinho, que nem se lembrava de como terminou o conserto. Seu pai terminou. Ele cuidava de você, como Fisher cuidava de mim. E quando olhávamos as estrelas com Gunnar? Você conhecia Orion, Plêiades e Cassiopeia. Aprendeu tudo isso quando era criança. Mas disse que sua mãe não conhecia esses nomes. Seu pai é um navegador. Ele ensinou a você os nomes das estrelas. E sei que seu pai é militar. Ele trabalhou duro e queria ir para casa. Exatamente como Fisher. Mas alguma coisa aconteceu e mudou tudo. E ele se perdeu. Que nem meu irmão. — Early cruzou os braços, defendendo sua posição. — Ele arrumou sua cama e a gaveta de meias. Ele ama você.

Suponho que, para Early, arrumar uma gaveta de meias era uma demonstração de amor. Talvez meu pai pensasse assim também.

Não respondi. Ouvir Early repetir tudo que eu havia contado a ele nos últimos dois meses foi como levar uma bofetada na cara. Meu rosto corou. Seria de vergonha ou de raiva?

— Mas ele também tirou de casa tudo que era da minha mãe — falei. — Tentou se livrar de qualquer coisa que o fazia se lembrar dela. Empacotou tudo. O que diz disso?

Early não respondeu. Dessa vez eu o surpreendi. Nem mesmo *ele* conseguia arrumar uma explicação.

Depois de pensar um pouco, Early falou em voz baixa.

— Talvez ele tenha empacotado tudo para carregar. Isso pode ser o fardo dele.

Agora era eu que não tinha resposta. Fui dar uma olhada nas roupas perto do fogo, quando ouvi vozes altas do lado de fora. Olhamos pela janela. Encosta acima, talvez a uns dez metros da cabana, vimos os homens de MacScott, Olson e Long John Silver.

— O que eles estão fazendo aqui? — perguntei.

— Deviam estar na hospedaria Bear Knuckle, bebendo uns gorós e comendo uns petiscos. É assim que os piratas chamam bebida e comida. Gosto do som, goró e petisco. É muito melhor que comes e bebes ou aguardente e pitéu. Agora, se for leite e biscoitos, aí tudo bem...

— Na hospedaria Bear Knuckle? — falei, interrompendo o jogo de palavras de Early. — Você acha que é perto daqui?

— Sim, é no topo daquela colina. Fica na curva do rio onde os bordos e os carvalhos eram bem coloridos. Lembra?

— Não, Early, não lembro. Mas teria sido bom saber disso antes de entrarmos nesta cabana. Teríamos ido para lá.

— Talvez possamos pedir para eles devolverem o *Maine*. Agora o capitão MacScott "não está mais entre nós" — ele falou, desenhando aspas no ar com os dedos. — Isso significa que alguém morreu. Você também pode dizer que a pessoa "bateu as botas", ou "foi para o beleléu", ou "abotoou o paletó de madeira"...

— Early! Eu sei o que significa! Mas não quer dizer que eles vão simplesmente devolver o barco. E agora que o capitão está "morto" — continuei, imitando o gesto dele de desenhar as aspas —, eles provavelmente vão nos matar também.

— Vesti minhas roupas, que ainda estavam meio úmidas.

— Onde você acha que o colocaram?

— O *Maine*? — Vesti o casaco e espiei pela porta da cabana para ter certeza de que não havia ninguém por perto.
— Como eu vou saber? São piratas. Não vão continuar rebocando o barco atrás do deles, porque alguém poderia ver. Provavelmente, guardaram em algum lugar perto do esconderijo.
— Sim, em algum lugar perto do covil de piratas — sussurrou Early.
Acho que pensamos ao mesmo tempo que a hospedaria Bear Knuckle era bem parecida com um covil de piratas. E que a cabana onde estávamos daria um bom esconderijo para qualquer tesouro. Early e eu nos afastamos da porta. Seguramos um canto da lona sobre a qual havíamos sentado pouco antes e a puxamos.
O azul intenso do *Maine* inundou a cabana sombria. Viramos o barco e achamos os remos presos dentro dele.
As vozes lá fora estavam mais próximas, e ouvimos uma delas falar:
— Ei, tem fumaça saindo da cabana.
Early e eu não esperamos pelo "Preparar, apontar, fogo!". Penduramos a mochila no ombro, levantamos o *Maine* e saímos da cabana como uma explosão. O rio ficava ao pé da colina, mas descer correndo com um barco em cima do ombro e carregando os remos era muito difícil.
Cachorros latiam. Olson e Long John gritavam. Mas estavam bêbados, ou eram preguiçosos demais para nos alcançar. Early, o *Maine* e eu chegamos inteiros ao rio e já nos afastávamos da margem quando os cães e os piratas chegaram, ofegando e xingando.
Sorri.
— Acha que aqueles cachorros ainda farejam mentol?
Early não respondeu. Não para mim, pelo menos.
— O ruído branco — resmungou para si mesmo. — Deve haver um ruído branco nos números. Pi precisa de mais tempo nele.

Em seguida, Early se debruçou sobre o bloco de anotações e ficou rabiscando figuras, números ou anotações como se tivesse sofrido uma revelação.

Com as mãos firmes nos remos, e pernas e braços dando impulso no barco de Fisher Auden, eu também tive a minha grande revelação.

Early havia dito que sentiu que Fisher não o entendia na casa da sra. Johannsen. Como se ele falasse uma língua que o irmão não compreendia.

Fisher podia ter sido herói e lenda da escola no passado. Mas agora ele era um soldado. E eu precisava encontrar outra pessoa que falasse a língua que um soldado entenderia.

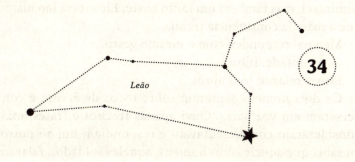

Leão

34

Chegamos à Morton Hill no sábado e fomos recebidos por uma estranha mistura de reprimendas e aplausos — reprimendas por parte dos professores, aplausos dos garotos que pareciam sentir admiração e inveja em igual medida. No começo da semana, o tempo havia melhorado o suficiente para permitir a chegada do meu pai ao campus na quarta-feira da semana de férias, dando bastante tempo para declararem Early e eu como desaparecidos. Aparentemente, nossa ausência havia causado agitação, e tinha muita gente nos procurando. Mas, quando me viu, meu pai não parecia estar bravo. Só me abraçou por um longo tempo. Acho que não queria me soltar porque estava chorando.

No dia seguinte, ele nos levou para o norte, para a floresta do Maine. É claro, não havia como prever se encontraríamos Fisher, mas imaginamos que o melhor lugar para começar a procura seria na cabana de lenhador. E lá estava ele, cortando madeira no ar frio e úmido, sob um céu nublado que prometia chuva forte. Early e eu descemos do jipe, mas ficamos para trás. Fisher se colocou em posição de sentido ao ver um capitão da Marinha se aproximando e bateu continência. Era admirável, mas também um tanto triste. Ele estava tão magro que a mão da continência tremia.

Meu pai respondeu com o mesmo gesto.

— À vontade, filho.

Fisher relaxou os ombros.

Os dois homens sentaram sobre tocos de árvore e conversaram em voz baixa. Ouvi apenas trechos e frases, mas, considerando como escutavam e respondiam um ao outro, eu sabia que aqueles dois homens, aqueles soldados, falavam uma língua que ambos entendiam. O idioma do dever, da honra e da perda.

Finalmente, soube que Fisher havia sido ferido pelos destroços da explosão na ponte, e depois de quase se afogar no rio Allier, foi encontrado por um agricultor francês e levado até a casa dele para se recuperar. Enquanto estava lá, chegaram notícias de que o Exército havia encomendado oito monumentos para homenagear os oito soldados mortos na praça da cidade. Eles acreditavam que Fisher havia morrido com seus homens. A guerra se aproximava do fim. Fisher havia sofrido um grande trauma e não suportava a ideia de aparecer de repente e ser recebido como herói por ter destruído a ponte e o tanque inimigo, quando os outros soldados haviam morrido na missão. No entanto, acima de tudo, ele não suportava pensar que havia se ausentado do abrigo justamente na hora em que os colegas foram mortos. "Eu devia estar lá com eles", Fisher tinha dito.

Lembrei-me de Early contando que ninguém sabia onde Mozart estava enterrado. E comentando que talvez ele quisesse que fosse assim, para não ter que receber homenagens e louvores. Fisher queria a mesma coisa, mas estava vivo.

Ele andou pela França e pela Inglaterra, depois embarcou em um navio de carga e voltou ao Maine. O Exército o havia declarado como morto, e naquilo ele encontrava seu único conforto. E as florestas do Maine eram seu lugar de repouso.

Depois de algum tempo, os dois homens se levantaram, e meu pai pôs a mão sobre o ombro do rapaz num gesto firme.

— Você enfrentou muitas dificuldades, tenente — disse meu pai. Era uma afirmação, não uma pergunta.

— Sim, senhor.

— Tinha uma missão e a cumpriu da melhor maneira que conseguiu.

— Sim, senhor.

— E muitos homens bons foram perdidos.

— Sim, senhor.

— Conheci bons homens como aqueles. E posso dizer que, por pior que tenha sido essa perda, a única coisa que consegue agravá-la é perder mais um soldado. Sua missão acabou, filho. É hora de voltar para casa.

Houve uma longa pausa. Fisher levantou a cabeça, deixou o vento soprar fresco em seu cabelo sujo, e a autoridade contida nas palavras do meu pai o envolveu como um banho quente em um dia frio. Suas lágrimas se misturaram aos primeiros pingos de chuva.

— Sim, senhor.

Voltamos ao jipe, e me descobri encantado com meu pai e a facilidade com que ele se comunicara com Fisher. No entanto, acho que também sentia uma pouco de inveja e me perguntava se ele e eu teríamos a mesma facilidade e a mesma compreensão.

Meu pai levantou a cabeça e deixou os pingos de chuva tocarem seu rosto. Talvez tentasse esconder algumas lágrimas também. Depois de um momento, ele olhou para mim e disse:

— É melhor irmos embora, antes que a chuva lave toda essa secura.

Sorri ao ouvir a frase. Era da minha mãe. A linguagem dela era um idioma que meu pai e eu conseguíamos entender.

Fisher ficou melhor de barba feita e cabelo cortado, mas ainda estava fraco, trêmulo e muito desnutrido. Nós o levamos

para o hospital da cidade, onde ele poderia descansar bastante e faria três refeições por dia. Early e eu íamos visitá-lo todos os dias depois da aula, e levávamos doce de xarope de bordo e balas de goma para complementar as três refeições.

Algum tempo depois, meu pai nos levou de carro, Early e eu, a Boston para o evento do Fall Math Institute. Fisher não pôde ir, mas disse para Early sacudir aqueles matemáticos de cérebro entorpecido.

O sol penetrava no grande auditório revestido de carvalho. E estávamos ali sentados e quietos, vendo o professor Douglas Stanton escrever mais de duzentos dígitos que, ele explicou, eram os números calculados mais recentemente para o valor de pi. Ele falava bastante com sua voz alta e escrevia muitos símbolos e equações na lousa, destacando o fato de não haver nenhum número um nos dígitos do pi calculados mais recentemente. Ele explicou que, com base no desaparecimento do algarismo, concluiu que os outros também desapareceriam e que o pi acabaria em algum momento. Quando a palestra foi concluída, houve uma explosão de aplausos e muita comoção, e o professor Stanton levantou as sobrancelhas grossas e disse que responderia a perguntas e argumentos, caso alguém quisesse se manifestar.

Early *queria* se manifestar. Ele se levantou, em toda a sua altura de um metro e quarenta, e se dirigiu à lousa. Sem dizer palavra, começou a fazer suas anotações, riscando alguns números anotados pelo dr. Stanton. Depois, com um pedacinho de giz, traçou uma linha vertical após um número e uma linha horizontal sobre os números restantes, substituindo-os por uma nova série de números que, na verdade, começava com o número um e contava com ainda vários outros dele. A plateia assistia a tudo num silêncio perplexo. Não consigo nem fingir que posso explicar as anotações que ele fez, mas havia algumas lacunas, e um murmúrio se espalhava pela sala. Considerando a reação dos ouvintes, deduzi que Early tinha acabado de acertar um golpe devastador na teoria do professor Stanton. Mas ele ainda não havia terminado.

Virando de frente para o auditório, Early falou sem usar o microfone. Não precisava dele, porque sua voz era alta e a plateia estava completamente quieta.

— Prova por contradição — começou ele. — O professor Stanton diz que não há mais o um no pi. Infelizmente, os números dele estão errados. O um desapareceu por um tempo, mas o professor Stanton não sabia que o Pi só estava perdido. Estava triste e com um grande buraco no coração. Ele perdeu muita coisa e não tinha a mãe, o pai ou os amigos. Só precisava de mais tempo no ruído branco. Até... — Early apontou para a sequência de números que fez a multidão exclamar em uníssono — alguém encontrá-lo.

ENCONTRANDO PI
•····• *A história de Pi* •····•

Durante muito tempo, Pi ficou ferido e sozinho, vagando entre a vida e a morte. Seus pensamentos alternavam entre lembranças e sonhos. As mãos, os braços e o corpo todo eram tão transparentes que ele teve certeza de que não podia mais estar entre os vivos.

Até ouvir um barulho. Era uma voz rouca e áspera.

— Tem alguém aí?

Pi sentou, ou pensou ter sentado, embora mal pudesse sentir a pedra embaixo dele. A cabeça doía onde ele a havia batido. Pi tocou o fio de sangue que descia pelo couro cabeludo. Ele pensou que se conseguia sentir a dor na cabeça e o sangue ainda jorrando, então devia estar vivo.

— Olá — respondeu com um fiapo de voz. — Estou aqui.

Uma figura sombria espiou da beirada da pedra acima dele. Outra alma torturada cujos fardos a haviam levado àquele lugar.

— Segure minha mão — disse a voz.

Pi ficou em pé e jogou a bolsa para cima e para fora do buraco. Ela caiu com um baque. Ele estendeu a mão para uma pedra saliente sobre sua cabeça, depois encontrou um lugar onde apoiar o pé e conseguiu subir alguns centímetros. E procurou outra pedra e outro apoio para o pé. Finalmente, conseguiu segurar a mão estendida para ele. A mão era firme e forte, e o puxou para fora do buraco.

Pi tinha muitas perguntas para fazer. *O que você está fazendo neste lugar desolado? Consegue mesmo me ver? Ainda estou vivo?*

Mas, antes que pudesse falar qualquer coisa, ele olhou para o rosto da pessoa cuja mão ainda segurava. Pi ficou atordoado.

— Pai?

Igualmente surpreso, o homem abraçou o filho por muito tempo.

— Pi — respondeu ele num sussurro.

Pi estava nos braços do pai, e alguma coisa mudou dentro dele. Era como se respirasse pela primeira vez em muito tempo. O ar tocava sua pele de um jeito diferente. Ele não sabia se havia conquistado o nome Polaris ou não, mas não tinha mais importância. Queria ouvir o nome pelo qual a mãe o chamava. *Pi.*

As palavras fluíram, e Pi soube que o pai estava fora caçando quando o vilarejo deles foi atacado. Quando voltou, encontrou tanta devastação que quis ir viver com os outros sobreviventes. Mas passou muitos meses lá, esperando o retorno do único filho, que nunca retornou. De coração partido, ele sentia que seu fardo era pesado demais para suportar e, como Pi, foi atraído para o lugar das almas perdidas.

Agora que pai e filho estavam reunidos, precisavam encontrar a saída das catacumbas. Mas como? Estava escuro, e eles passaram muito tempo vagando pelo labirinto de túneis e cavernas. Então Pi viu os desenhos na parede de pedra. Eram desenhos simples que iam passando de uma caverna a outra, contando a história de um povo antigo em uma jornada. O povo na história seguia o sol até escurecer. Depois, em outra sala, o desenho os mostrava seguindo as estrelas até que, finalmente, apareceu uma ursa. Uma grande ursa conduzindo seus filhotes. O povo a seguia. E assim fizeram Pi e seu pai.

À medida que caminhavam, o ar ia ficando mais frio e doce. Sussurros e suspiros desapareceram, até que a luz do dia substituiu a escuridão. Pi e o pai passaram por uma cachoeira e encontraram terra seca.

Os dois pararam por um momento para respirar o ar puro e aquecer o rosto ao sol. As mãos de Pi não estavam mais transparentes. Eram de carne e sangue.

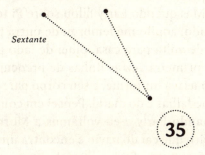

Quando Early terminou, o auditório estava em silêncio.
O moderador olhou para a lousa e depois para Early.
— Bem, você nos deu bastante coisa para pensar, rapaz. Tenho certeza de que muitos aqui gostariam de olhar com mais atenção para os seus números e fazer algumas perguntas.
O professor Stanton ficou vermelho.
— Isso é absurdo. Ele é um menino! — E olhou para Early. — Você não pode entrar aqui com essa história boba e provar que a minha teoria está errada.
— Posso, sim — Early respondeu sem emoção.
Eu via aquela cena como um trem desgovernado se aproximando a toda velocidade.
— Não pode.
— Posso, sim.
O professor Stanton não sabia de algo que eu conhecia muito bem. Era impossível argumentar com Early Auden. Mas ele era um homem inteligente e, mais cedo ou mais tarde, entenderia.
— *Não pode.*
— Posso, sim.
Provavelmente, bem mais tarde.

A história de Pi parecia ter a capacidade de provocar muitas lembranças e conexões diferentes. Era uma jornada, como a de Fisher. Mas quando Early falou sobre Pi ter se machucado e se perdido, aquilo me lembrou de outra pessoa. Durante a viagem de volta para casa, olhei de lado para o meu pai e notei pela primeira vez as linhas de preocupação no rosto dele. Ele não usava uniforme, e seu corpo parecia relaxar sem o peso das medalhas e do metal. Pensei em como ele havia me abraçado quando Early e eu voltamos a Morton Hill, como um marinheiro que cai do navio e encontra uma tábua de salvação a que se agarrar. Seria possível que meu pai, o navegador, tivesse caído do barco e se perdido, como eu?

Imaginei meu anel de navegador no fundo do rio e me arrependi de tê-lo jogado lá. Mas também sabia que não precisava dele para me localizar.

Quando voltamos ao campus da Morton Hill, meu pai apertou a mão de Early de um jeito caloroso.

— Você fez um bom trabalho, filho — ele comentou. — Eu não consegui entender nada do que falou, mas ficou claro que você pôs todos os pingos nos "is".

Early sorriu.

— Sim, senhor.

Ele passou por mim a caminho de sua oficina.

— Acho que seu pai não prestou muita atenção — falou com um sussurro alto e claro. — Não tinha nenhum "i" na equação.

Meu pai balançou a cabeça quando Early se afastou. Depois, ele se apoiou no jipe e cruzou os braços. Senti que estava calmo e aberto, como quando conversou com Fisher. Como se tivesse acabado de respirar fundo e deixasse as palavras saírem com o ar, em vez de segurá-las.

— Eu não devia ter trazido você para tão longe de casa — falou. — Acho que não sabia o que fazer. Imagine só. Passo os dias dando centenas de ordens e comandando um navio pelo oceano, e não consegui saber que atitude devia tomar. — Ele balançou a cabeça. — Me desculpe, Jack, por ter encaixotado tudo que era da sua mãe. Pensei que, se pudesse pôr as coisas em ordem, se conseguisse arrumar tudo... mas não consegui.

Ele levantou o rosto para o sol por um longo minuto.

— Bom, o que acha? Talvez tenha chegado a hora de levantar âncora e ir para casa.

Eu me encostei no jipe, ao lado dele, e cruzei os braços.

— Não sei. Não me importo de ficar aqui. E sabe, eu destruí um barco há pouco tempo. — Levantei o rosto para o sol. — Quer me ajudar a construir um novo?

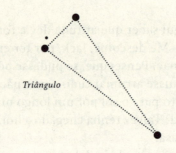

Triângulo

Epílogo

Ligar os pontos. Minha mãe dizia que olhar as estrelas tinha a ver com isso. "Lá em cima é como aqui embaixo, Jackie. Você precisa procurar as coisas que nos conectam. Encontrar os jeitos com que nossos caminhos se cruzam, nossas vidas se interceptam e nossos corações se encontram."

Quando comecei a prestar atenção, percebi todo tipo de cruzamentos, intersecções e encontros. Por exemplo, Fisher melhorou muito sob o olhar atento de uma certa mocinha que trabalhava como voluntária no hospital local. A jovem tinha cabelo ruivo encaracolado e olhos verdes, e o nome dela era Pauline. Mas só porque foi assim que Early a chamou na primeira vez que a viu na hospedaria Bear Knuckle, e ela gostou mais desse nome do que do seu nome de verdade, que era Ethel. Ela levava Fisher para dar longas caminhadas e até segurava a mão dele, que quase não tremia mais.

E também havia a carta de Gunnar para sua amada, Emmaline. Ele me deu a carta e pediu para eu fazer o que não se sentia capaz de fazer, despachá-la pelo correio. Atendi ao pedido e pus meu endereço no envelope, só por precaução. A carta voltou com uma nota manuscrita que dizia: "Devolvida ao remetente". Aparentemente, Emmaline não morava mais no mesmo lugar. Assim, a carta voltou ao livrinho cor-de-rosa de poesias em cima da minha mesa e lá ficou por algum tempo, e teria ficado por tempo indeterminado, se eu não tivesse escolhido Hopkins para ser o assunto de uma tarefa escolar em que deveríamos escrever sobre um poeta famoso, e se não tivesse desenvolvido um pouco da habilidade dedutiva de Early e aprendido a somar dois e dois. Com o método de Early, porém, tinha que somar dois e dois, e dar um toque disso e uma pitada daquilo.

Aconteceu um dia na biblioteca. Eu precisava escrever um texto sobre um poeta famoso, e como conhecia o "povo do fogo" de Gunnar, escolhi Hopkins. A Srta. T. disse que talvez tivesse a coisa certa para mim. Ela abriu uma gaveta de sua mesa e pegou um livro que parecia ser muito velho. Era uma coleção de poemas de Gerard Manley Hopkins. Mas avisou que eu poderia consultar o volume na biblioteca, mas que não podia levá-lo, porque fora um presente e era dela.

— Sim, senhora — respondi. Levei o livro para uma mesa e li uma inscrição na primeira página. A caligrafia masculina declarava: "Para E., de G. Natal de 1928". A data chamou minha atenção. Gunnar tinha dado um livro de poesia para Emmaline como presente de Natal. Havia sido em 1928? Peguei o *Journal of Poetry by Young Americans* da minha mochila de livros e estudei o nome no envelope. "Emmaline Bellefleur." Cheguei mais perto da mesa da Srta. T. e, discretamente, tentei achar alguma coisa que tivesse seu nome verdadeiro.

Ela levantou a cabeça do trabalho.

— Precisa de ajuda, sr. Baker?

— Ah, este livro é muito bom — falei, e devolvi o volume.
— Você tem um poema favorito?

Ela parecia surpresa com a pergunta, e notei que prendeu a respiração por um instante.

— Bom, sim, tenho — disse ela. — Gosto especialmente de "A Noite Estrelada", daquela conversa sobre estrelas, povo do fogo e cidadelas. — Era como se, por um momento, a mulher se perdesse no poema ou na lembrança.

Peguei a carta e, com cuidado, disse:

— Acho que isto é para você, srta. Bellefleur.

Ela olhou para a caligrafia no envelope, depois para mim, e havia lágrimas em seus olhos. Não fiquei para vê-la ler a carta, mas sabia que não ficaria surpreso se Gunnar Skoglund aparecesse no campus da Morton Hill em um futuro próximo.

E havia Archibald MacScott. Após a noite na caverna, a mordida de cobra, o ataque de Early e um milhão de outras coisas, Fisher havia retornado ao local do ataque da ursa para enterrar um segundo corpo, o de MacScott, mas o homem de um olho só e a Winchester 1894 haviam desaparecido. Havia muito sangue no chão e rastros que levavam para fora da caverna, mas as pistas acabavam no rio.

Pensávamos que a ursa tivesse matado o homem no local do ataque. Mas, considerando essa nova evidência, Early achava que MacScott podia querer um enterro no mar, por isso se agarrou à pouca vida que ainda tinha para se arrastar até o corpo d'água mais próximo e morreu ao cair no rio. Depois Early pensou melhor e decidiu que a Winchester, que havia sido o grande fardo da vida dele, era muito pesada, e que era bem possível que o homem só tivesse se debruçado no rio para beber água, e o peso da espingarda o puxou para o fundo do curso d'água. Early parecia considerar os dois cenários igualmente macabros e interessantes, e nunca declarou de qual gostava mais.

Na escola, os garotos da Morton Hill estavam sempre interessados em ouvir a história da nossa jornada. Enquanto a contava muitas e muitas vezes, eu percebia que havia sido uma grande aventura. Quem teria imaginado que um menino que sofria enjoo quando entrava em um barco e morava no Kansas iria em uma jornada que incluía piratas, um vulcão, uma grande baleia branca, uma mulher de cem anos, um herói perdido, uma caverna escondida, uma grande ursa apalache e uma cascavel... no Maine!

Minha mãe tinha razão. Nossas vidas são todas entrelaçadas. É só uma questão de ligar os pontos. Continuo esperando que ela apareça em algum lugar dessa história. Espero que, de alguma forma misteriosa, ela faça parte das conexões, intersecções e dos encontros. Continuo sentindo que devia ter mais que os pedaços de sua xícara quebrada guardados em uma caixa dentro do meu guarda-roupa. Mas sei que Elaine Gallagher Baker, a civil, vai aparecer em algum momento. E quando isso acontecer, vou ouvi-la dizer: "Não existem coincidências. Só milagres, e aos montes". Enquanto isso, tenho um pedaço de papel preso à parede. É um desenho da minha constelação, com estrelas chamadas Pai, Gunnar, Srta. T., Fisher, Martin, Eustasia Johannsen, Early e eu, Jackie Baker. Com um lápis vermelho, ligo as estrelas. E, não por coincidência, elas formam o desenho de uma xícara de chá com florezinhas vermelhas.

Quanto a Early, nas semanas seguintes à nossa jornada, ele passou a ser convidado eventualmente para comer torta no quarto de Sam e Robbie Dean. E até assistia às aulas muito de vez em quando, especialmente depois de o sr. Blane ter desistido de falar que o pi era finito. Mas ele preferia ficar longe dos caminhos mais comuns. Ele e eu ainda remávamos no começo da manhã e no fim da tarde, e ele ainda gritava os comandos, embora agora eu fosse capaz de remar em linha reta. Ele sempre terminava os treinos com a ordem para deixar correr, e ficávamos olhando para a baía e admirando o oceano infinito.

Early Auden não podia conter o mar. Deduzi que ele também havia chegado a essa conclusão, porque, um dia, durante uma caminhada até a praia, não muito tempo depois da nossa Trilha Apalache, Early começou a abrir os sacos de areia que havia empilhado, esvaziando-os na praia. Perguntei se ele havia desistido de tentar conter o oceano. Ele respondeu que aquele nunca tinha sido seu plano. Estava usando os sacos de areia para construir um farol, onde planejava acender uma grande fogueira para Fisher encontrar o caminho de casa. *Semper Fi*, Early. *Semper Fi*.

Naquele dia, fiquei em pé na praia, com a água salgada se aproximando mais de mim a cada onda, e lembrei como, há poucos meses, eu havia ficado naquele mesmo ponto, tão desorientado que chegara até a vomitar. Admirei a vastidão do oceano. Fiquei ali fascinado com sua profundidade e seu mistério. E percebi que estava igualmente fascinado com Early Auden. Sim, ele era estranho. Sim, podia ser irritante. E, sim, era meu amigo.

Quando o oceano molhou meus pés, percebi que Early Auden, o mais estranho dos garotos, tinha me salvado de ser levado embora. Ele me salvou quando me ensinou a reconstruir um barco, que os números contam histórias e que, quando chove, é sempre Billie Holiday.

*The Journal of Poetry
by Young Americans — 1928*

2º COLOCADO

A Beleza de uma Única Estrela
de Elaine Gallagher
Abilene, Kansas

*As estrelas em seus cursos
iluminam e guiam,
viajantes e andarilhos
para seguirem adiante.
Mas antes de Plêiades e Orion,
Antes de menores e maiores,
Eram só estrelas em seus cursos,
Cantando seus louvores.
Em uma só estrela há beleza suficiente,
Pura admiração, fascínio e esplendor,
Para levantar os olhos, estender os braços,
E permanecer, humilde,
agraciado por elas de fato.*

Ave-do-paraíso

NOTA DA AUTORA

Tive a ideia para a história que se tornou *Em Algum Lugar nas Estrelas* há muitos anos, quando minha mãe me contou sobre um sonho que teve com um rapaz com um grande talento para tocar piano. No sonho dela, o rapaz não havia estudado, mas tocava até a peça mais difícil depois de ouvi-la uma só vez. Seu sonho era mais sobre a amizade entre esse rapaz e uma moça, mas a ideia de escrever a história sobre alguém com um dom inexplicável ficou na minha cabeça. Que dom seria esse? Como afetaria o resto da vida dessa pessoa?

A primeira coisa que fiz foi pesquisar, e li um livro de Daniel Tammet chamado *Nascido em um Dia Azul — Por Dentro da Mente de um Autista Extraordinário* (Intrínseca, 2007). Nele, Daniel conta sua própria história como autista e como sua mente funciona. Ele consegue realizar cálculos fantásticos de cabeça. Decorou mais de 22 mil dígitos do pi. E vê números como formas, cores e texturas. A história dele foi um trampolim para a de Early Auden.

Pelos padrões atuais, Early poderia receber o diagnóstico de uma forma altamente funcional de autismo. Também seria considerado um erudito, alguém que exibe extraordinária capacidade em uma área extremamente especializada, como matemática ou música. Preferi não usar as palavras "autismo" e "erudito" no livro, porque, em 1945, a maioria das pessoas nem as conhecia, e muitos autistas não eram diagnosticados. Uma pessoa como Early teria sido considerada estranha, só isso.

Early não surgiu para ser uma representação da criança autista. Ele é um menino único e especial com uma mente fantástica, um espírito lindo e um dom inexplicável. Como Daniel Tammet, ele vê o número pi em formas, cores e texturas. Mas enquanto Early se desenvolvia em minha cabeça e no livro, percebi que seu dom fabuloso era ainda maior. Para ele, os números no pi também contavam uma história.

Isso traz a próxima área de pesquisa. O pi.

Irracional. Transcendental. Eterno. Todas essas palavras descrevem o número pi. Mas as pessoas, que são fascinadas pelos números há milhares de anos, também usam termos como *bonito, místico* e *sagrado*. Como um número pode ter provocado tamanho imaginário e até controvérsia ao longo dos séculos?

Early Auden tem habilidades de erudito em matemática. Consegue fazer cálculos extraordinários de cabeça. Ele se acalma e organiza os pensamentos com padrões e sequência, separando por cor e quantidade. E, para ele, o número pi é o mais especial e bonito de todos, e esse número conta uma história especial e bonita.

Meu livro tem, é claro, uma boa porção de fatos e uma porção de ficção. Então, por adorar os programas de perguntas e respostas da televisão, proponho um jogo chamado:

PI: FATO OU FICÇÃO?

O PI É UM NÚMERO QUE NUNCA ACABA E NUNCA SE REPETE?
R: Fato. Pi é um número irracional, o que significa que não pode ser escrito como fração. Seus números decimais nunca vão se repetir em nenhum tipo de padrão e nunca vão chegar ao fim.

AS SEQUÊNCIAS DE NÚMEROS MENCIONADAS NO LIVRO *EM ALGUM LUGAR NAS ESTRELAS* SÃO SEQUÊNCIAS REAIS ENCONTRADAS NO NÚMERO PI?
R: Ficção. O número pi começa com 3,14, mas as sequências que menciono no livro são fictícias. Se existem no número pi, é mera coincidência.

OS NÚMEROS EM PI REALMENTE CONTAM UMA HISTÓRIA?
R: Ficção. Eu inventei essa parte, mas quem sabe? Se uma pessoa consegue ver os números como formas, cores ou texturas, talvez alguém também os veja de outras maneiras incríveis.

ALGUÉM UMA VEZ ENCONTROU UM ERRO NOS NÚMEROS EM PI, COMO EARLY FEZ NA HISTÓRIA?
R: Fato. Em 1945, D. F. Ferguson encontrou um erro em um valor previamente calculado de pi a partir da 527ª casa. Na minha história, Early encontra o erro primeiro. Mas Early é um personagem de ficção, por isso o sr. Ferguson merece todo o crédito.

HÁ NÚMEROS QUE DEIXARAM DE APARECER NOS DÍGITOS DE PI?
R: Ficção. Nenhum número desapareceu. Na verdade, os números de zero a nove são representados de forma bem equilibrada e consistente ao longo dos números conhecidos de pi.

E, FINALMENTE, ALGUMAS QUESTÕES NÃO RELACIONADAS AO PI
P: O leite de hipopótamo é cor-de-rosa?

P: O Maine é realmente o único nome de estado com uma sílaba?

P: A regata teve sua origem em uma corrida de gôndola em Veneza?

P: Existem cascavéis no Maine?

R: Sim, sim e sim. E, em relação à última, muitas fontes dizem que não, mas estou propensa a concordar com Early nessa.

AGRADECIMENTOS

Este livro é sobre muitas coisas, e olhar para as estrelas está entre elas. O lema do estado do Kansas é *Ad astra per aspera*, "Às estrelas nas dificuldades". Não é de surpreender que tenhamos estrelas em nosso lema, porque temos um céu muito aberto no qual vê-las. Mas observar as estrelas é uma oportunidade pouco valorizada no mundo de hoje. Então, algumas palavras de gratidão a muita gente que me incentivou a não só olhar para as estrelas, mas a me colocar embaixo delas com fascínio, admiração e gratidão.

Em primeiro lugar, minha mãe. Early Auden é um menino com uma mente fantástica e um dom incrível. Mas o interesse inicial em uma história como essa foi plantado há anos e, lentamente, criou raízes antes de as primeiras palavras serem escritas. Então, um agradecimento especial a ela, por ter me contado um sonho que teve certa noite com um rapaz com um dom notável para o piano. Ela provavelmente disse: "Você devia escrever uma história sobre isso". E eu escrevi. Early não toca piano, mas minha mãe é professora de piano, e tenho certeza de que ela poderia colocá-lo para tocar em pouco tempo.

E ao meu pai, por gostar de tudo que faço.

Um agradecimento muito especial à minha irmã, Annmarie Algya e nossa aspirante a irmã, CY Suellentrop (a pronúncia é Ciuai, não Si), por terem me acompanhado em uma "pesquisa" de campo ao Maine. Sempre colocamos "pesquisa" entre aspas porque a viagem foi divertida demais para ser categorizada com muita precisão. Discutimos com a mulher da locadora de automóveis, tivemos um "incidente" no saguão do hotel, ficamos viciadas em NCIS e experimentamos muitos caldos. Pesquisa da melhor qualidade... e da mais divertida.

Agradeço às pessoas a seguir, a equipe dos sonhos da minha vida profissional: minha agente, Andrea Cascardi. Tenho muita sorte por você ter dito sim quando a procurei pela primeira vez. Aquilo pôs em jogo essa bola maravilhosa e nada teria acontecido sem você. Minha editora, Michelle Poploff, e a assistente dela, Rebecca Short. Obrigada por terem acolhido, dado forma e amado este manuscrito até ele assumir sua forma final. Vocês são as melhores no que fazem. E obrigado, Michelle, pelo telefonema especial de sábado. À minha assessora de imprensa, Elizabeth Zajac. Resumindo, minhas filhas amam você, e elas são excelentes juízas de caráter. Esperam que elas cresçam com sua bondade e seu otimismo.

Obrigada a Vikki Sheatsley e Alex Jansson por uma capa linda e intrigante.

Às minhas colegas escritoras, Christie Breault, Beverly Buller, Dian Curtis Regan, Lois Ruby e Debra Seely. Nosso grupo de redação não tem um nome, mas sempre espero com ansiedade pela página da agenda em que anoto nossa próxima reunião. "As Garotas Escritoras" parece ser um nome apropriado, porque o grupo é maravilhoso nesses dois quesitos.

Jack Devries e sua mãe, Sarah. Jack é um garoto incrível que está na turma do meu filho Paul desde o jardim da infância. Jack tem autismo e é um modelo de desenvolvimento de caráter com um grande coração e um espírito bondoso. E obrigada a Sarah por ter sido uma boa amiga e conselheira enquanto eu escrevia este livro.

Para mais algumas pessoas importantes que ofereceram palavras de apoio e críticas construtivas: Diane Awbrey por uma ótima crítica. John Kindel, Leroy Kimminau e Darryl Strickler pelos conhecimentos de remo e construção de barcos. Tinka Davis e Paul Sander pelo raciocínio matemático e conhecimento do elemento pi na história. Todos certamente sabem o que fazem, e quaisquer erros restantes ou desvios intencionais do factual são de minha inteira responsabilidade. Na verdade, vamos dizer que os desvios do factual *são* intencionais e encerrar o assunto.

Tucker Kimball e Justyne Myers da Gould Academy, em Bethel, Maine, por terem me levado para conhecer seu belo campus e me dado valiosas informações sobre o mundo dos colégios internos.

Muitos amigos na Eight Day Books e Watermark Books. Dois pedaços do paraíso para qualquer leitor, e ambas tão perto da minha casa que posso ir visitá-las a pé.

Sendo uma espécie de escritora errante, tenho que agradecer a muitas pessoas por terem fornecido o espaço onde escrevi este livro. Matt McGinness, por ter proporcionado muitos lugares onde escrevi ao longo dos anos, mas, principalmente, por ter sido uma voz de apoio e incentivo durante os muitos anos que vivi como "ainda não publicada". Steve e Mary Algya, por terem me deixado usar a casa na árvore em cima da garagem da minha irmã. Posso trabalhar durante horas, depois entrar escondida na casa de Annmarie e contrabandear doces dos filhos dela sem ninguém perceber. Bob e Jan Hall, por terem oferecido sua adorável casa durante as comemorações do Natal para eu poder terminar um rascunho. Aquilo foi demais. E a filha e o marido dela, Carrie e Jon Hullings, por terem projetado o escritório mais incrível só para mim. Sim, fica no saguão do consultório de ortodontia deles, mas tudo bem. Com a quantidade de filhos que tenho usando aparelhos, posso usar o espaço por muito tempo e ainda tenho café de graça. E minha grande gratidão a Warren Farha da Eight Day Books por ter me dado a chave da loja para eu escrever no começo da manhã, e por ter uma maravilhosa seção de poesia na vitrina da frente, onde nasceu o nome de Early Auden.

E meu quarteto favorito, Luke, Paul, Grace e Lucy. Sou uma mãe de sorte. Minha única queixa é que vocês todos crescem depressa demais. Portanto, todos os aniversários do ano que vem estão cancelados!

E Mark. Minha estrela do norte e um verdadeiro cavalheiro.

FONTES

BECKMANN, Petr. *A History of Pi*. Boulder, CO: Golem Press, 1970.

BERGGREN, Lennart, Jonathan Borwein, e Peter Borwein, editores. *Pi: A Source Book*. Nova York: Springer-Verlag, 1997.

BLATNER, David. *The Joy of Pi*. Nova York: Walker, 1997.

GRANDIN, Temple. *Thinking in Pictures: And Other Reports from My Life with Autism*. Nova York: Doubleday, 1995.

STRICKLER, Darryl J. *Rowable Classics: Wooden Single Sculling Boats and Oars*. Brooklin, ME: Wooden Boat, 2008.

TAMMET, Daniel. *Born on a Blue Day: Inside the Extraordinary Mind of an Autistic Savant: A Memoir*. Nova York: Simon & Schuster, 2007. [Ed. bras.: *Nascido em um Dia azul — Por Dentro da Mente de um Autista Extraordinário*. Rio de Janeiro: Intrínseca, 2007.]

Clare Vanderpool adora ler, pesquisar e viajar. Escrever *Em Algum Lugar nas Estrelas* deu a ela a oportunidade de fazer as três coisas. Em uma viagem de pesquisa ao Maine, Clare explorou faróis, andou em praias, visitou um colégio interno e até fez o próprio trajeto na Trilha Apalache. Infelizmente, ela não encontrou nenhum urso. Isso teria sido uma ótima "pesquisa"!

Clare começou a ler aos cinco anos e a escrever aos seis, quando seu primeiro poema foi publicado no jornal da escola. Seu primeiro romance, *Moon Over Manifest*, foi premiado com a John Newbery Medal de mais distinta contribuição para a literatura infantil norte-americana. Clare mora em Wichita, Kansas, com o marido e os quatro filhos do casal. Saiba mais em clarevanderpool.com.

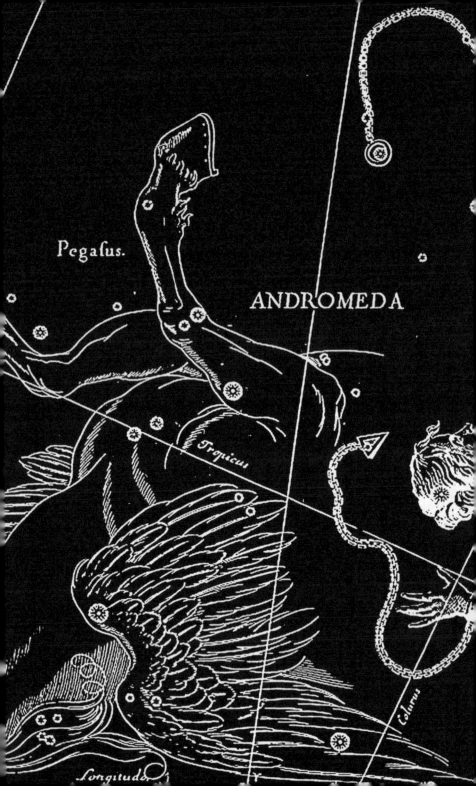

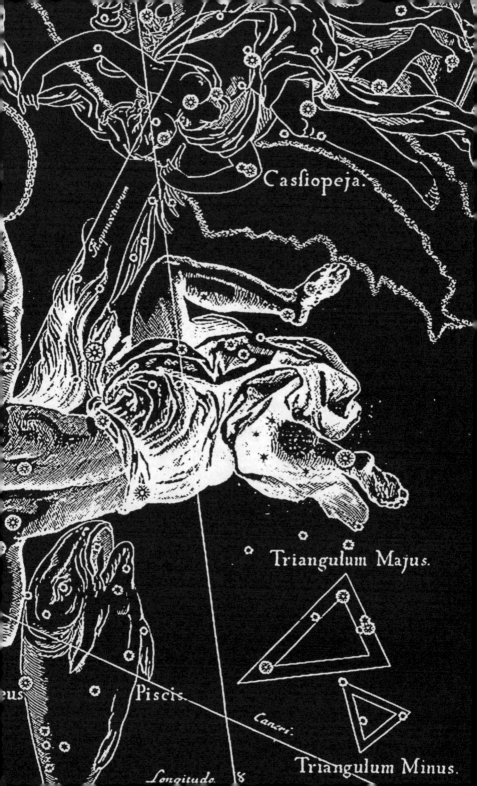

Olhamos para as estrelas com admiração e fascínio,
mas o fascínio não é consequência só da veneração.
É fruto também de uma pergunta: por quê?
AS ESTRELAS CONTINUAM A BRILHAR NO OUTONO.
DARKSIDEBOOKS.COM